책 소개

KB196553

이 책은 스마트폰 활용 교육 전문가인 저자가 스마트폰 교육 현장에서 알게 된 중·장년, 고령층 수강생들의 심리적, 정서적, 인지적, 신체적 특징을 고려하여 집필한 스마트폰 기초 교육 교재입니다.

다년간 스마트폰 교육 현장에서 강사 활동을 한 저자가 50대~80대 분들이 스마트폰 교육 현장에서 궁금해하는 내용을 토대로 집필하여, 스마트폰 사용법을 배우는 분과 가르치는 분 모두 유용하게 활용하실 수 있도록 제작되었습니다.

스마트폰 교육에 대해서 무엇부터 알아야 할지 막막하신 분, 스마트폰을 조금은 알겠는데 더 배우고 싶으신 분 등 스마트폰을 효율적으로 활용하기 어려운 초급 이용자들이 쉽게 따라 하실 수 있도록 제작하였습니다.

또한, 스마트폰 교육 강사님, 스마트폰 교육 자원봉사자님, 기관, 단체, 가족, 지인들이 스마트폰 사용 방법을 알려 드려야 할 때, 어디서부터, 무엇부터 알려 드려야 할지 막막하신 분들께도 도움이 되도록 제작하였습니다.

컴퓨터와 스마트폰 사용이 보편화되면서 많은 사람들이 디지털 기기를 일상에서 활용하고 있습니다. 글을 모르면 문맹, 컴퓨터를 모르면 컴맹이라고 말하던 시절이 있었습니다. 요즘은 스마트폰을 잘 모르면 폰맹이라는 말까지 나오고 있습니다. 일상생활을 편리하게 하는 많은 기술이 빠르게 스마트폰 속으로 들어오고 있는 디지털 사회에서 디지털 기술에 적응하지 못하거나 효율적으로 이용하지 못하는 사람들은 일상생활의 불편을 넘어 사회적, 경제적으로 소외되는 등 불평등을 심화하는 요인이 되고 있습니다.

스마트폰 사용법을 배워야 한다고 생각은 하지만 어떻게 해야 할지 막막하신 분들, 스마트폰 교육 수업 준비에 노고가 많으신 강사님들께도 이 책이 도움이 되시기를 바랍니다.

이 책의 특징

- 이 책은 스마트폰의 활용 범위를 넓혀줄 수 있는 스마트폰 활용서입니다. 스마트폰 사용법 기초부터 일상생활에서 유용하게 사용할 수 있는 스마트폰 앱의 사용법이 다양하게 수록되어 있습니다.
- 이 책은 스마트폰 강사가 실제 교육 현장에서 사용하는 파워포인트 강의안을 그대로 사용하였습니다. 수업할 때 복사해서 나눠드리던 실제 강의 PPT입니다.
- 이 책에 사용된 파워포인트 강의안은 스마트폰 교육에 참여하시는 중·장년, 고령층분들이 실제 공책에 필기하던 방식 그대로 작성하였습니다.
- 이 책은 큰 글씨로 작성되어 가독성이 높고, 설명하는 글자가 많지 않고 직관적이어서 쉽게 따라 하실 수 있습니다.
- 이 책에 사용된 스마트폰 기종은 삼성 갤럭시 노트 20 울트라이며, One UI 버전 5.0, 안드로이드 버전 13입니다(2023년 2월 기준).
- 스마트폰 기종, One UI 버전, 안드로이드 버전에 따라 이 책의 내용과 본인의 스마트폰 화면이 다를 수 있습니다.
- 또한, 수시로 업데이트되는 스마트폰의 특성상, 이 책의 내용과 본인의 스마트폰 화면이 다를 수 있습니다.

이런 분들께 추천드립니다.

- 스마트폰 기초 교재가 필요하신 분
- 스마트폰 사용 방법을 처음부터 배우고 싶으신 분
- 디지털 배움터 강사&서포터즈로서 스마트폰 교육 교재가 필요하신 분
- 디지털 튜터 활동을 하면서 스마트폰 교육 교재가 필요하신 분
- 스마트폰 교육 강사가 되고 싶으신 분이나 스마트폰 강사 활동을 하시는 분
- 중·장년, 고령층을 대상으로 스마트폰 교육을 하시며 단체 교재가 필요하신 선생님들
- 어르신들께 스마트폰 교육 자원봉사를 하고 싶으신 분
- 디지털 교육, 스마트폰 교육에서 무슨 내용을 교육하는지 궁금하신 분
- 성인문해교육 현장에서 디지털 문해교육, 생활 문해교육(정보 문해교육)을 하고 싶으신 분
- 부모님이나 할머니, 할아버지, 지인들께 스마트폰 활용법을 가르쳐 드리고 싶으신 분
- 부모님이나 할머니, 할아버지, 지인들께 스마트폰 교재를 사드리고 싶으신 분

이 책을 읽고 나면

· 이 책을 읽고 나면 스마트폰 기초를 쉽게 이해할 수 있습니다.
· 스마트폰을 배우시는 분들은 막막하게 생각했던 스마트폰 기본이 무엇인지 알 수 있습니다.
· 스마트폰 사용법을 어떻게, 어디서부터 알려 드려야 할지 고민이신 강사님들께는 교육 길잡이가 됩니다.
· 기존에 스마트폰 교육, 디지털 교육을 잘하고 계신 강사님들께는 정보 공유가 됩니다.

이 책을 사용하시는 강사님들께

· 각 장은 강의계획서의 각 회기에 해당합니다. 각 회기의 주제별 교육 내용은 많다 싶을 정도로 충분히 넣었으니, 강사님들이 이 책을 교재로 사용할 시, 참여하시는 교육생들의 수준과 요구를 감안, 교육 내용을 선별하여 교육하시면 좋을 것입니다.
· 이 책은 강사님들께서 강의계획서를 작성할 때도 도움이 될 것입니다. 상반기 또는 하반기 주어진 교육 시간에 교육 내용을 선별하여 강의계획서를 작성하시고 진행하시면 좋을 것입니다.
· 각 주제별 교육 내용 외에도 '기타 스마트폰의 유용한 기능 알아보기'에 다양한 내용이 들어 있어, 수준과 요구가 다양한 기초반 교육 진행 시, 교육 내용을 선별하여 사용할 수 있으며, 이 책 한 권으로도 한 학기 또는 1년 동안 스마트폰 교육 기초반 교육 콘텐츠가 충분할 것으로 생각됩니다.
· 이 책은 스마트폰 교육 기초 교재로 본격적인 쇼핑이나 금융 앱 사용방법은 다루지 않았습니다만 계정, 본인 인증 등의 내용을 이 책에서 다룸으로써 나중에 심화 과정에서 교육할 수 있는 토대를 마련하고 있습니다.
· 교육 내용 앞쪽에는 와이파이와 모바일 데이터를 사용하지 않는 내용으로 구성하였습니다.
· 마을회관 등 와이파이가 없거나 본인의 모바일 데이터가 얼만큼인지 모르시는 분들을 교육할 때에도 이 책은 유용합니다.
· 연락처, 전화, 메시지, 카카오톡 사용법들은 스마트폰 사용의 기본이지만 교육에 참여하시는 분들 중에는 잘 알고 계신 분들이 많아 뒤쪽에 배치하였습니다.
· 이 책은 스마트폰 강사가 실제 교육 현장에서 사용하는 파워포인트 강의안을 그대로 사용하였습니다. 수업할 때 복사해서 나눠드리던 실제 강의 PPT입니다. 이 책에 사용된 강의안 PPT 구입을 희망하시는 분들은 연락 주세요(010-3154-9341). 구입 방법을 안내하고 PDF 파일을 이메일로 발송해 드립니다.

교재 내용

1장 디지털 세상의 이해, 스마트폰 기초

2장 스마트폰 기초 및 활용

3장 스마트폰 카메라 사진 촬영 및 갤러리 사진 편집하기

4장 네이버 앱 활용하기

5장 특별한 인사카드 만들기(글그램)

6장 움직이는 글씨 이미지 만들기(글씨팡팡)

7장 교통 앱, 부동산 앱 이용 방법

8장 카카오톡 프로필 관리하기

9장 카카오톡 선물하기

10장 스마트폰 사진, 연락처 온라인에 저장하기(구글 포토)

11장 간편 동영상 제작하기

12장 키오스크 연습하기/보이스피싱 예방 방법

13장 스마트워크 1.

14장 카카오톡 기본 사용

15장 전화, 연락처, 메시지 앱 사용하기

16장 스마트워크 2.

17장 유튜브 활용하기

기타 스마트폰의 유용한 기능 알아보기

강의계획서

프로그램명	스마트폰 사용법 쉽게 배우기
운영 기간	20○○년○○월 ○○일~○○월 ○○일 (기간 중 총 15회)
교육 시간	오전 ○○시~○○시 (주 1회, 1회 2시간씩 15회, 총 30시간)
인 원	8명~15명 (인원이 많으면 와이파이 통신이 원활하지 않음.)
학습 대상	◎ 50대 이상 삼성 갤럭시 안드로이드 스마트폰 사용자 ◎ LG폰, 아이폰 사용자 제외
교육 목적	◎ 스마트폰을 활용한 디지털 정보화 교육 ◎ 비대면 디지털 사회에서 스마트폰을 활용한 디지털 역량 강화 기회 제공 ◎ 스마트폰을 활용한 세대공감 소통 역량 강화 및 정보화 수준 향상 ◎ 실생활 중심의 스마트폰 사용 능력 향상으로 일상 속 불편함 해소 ◎ 빠르게 변화되는 디지털 환경에 대한 이해와 적응 ◎ 실생활에 활용하는 온라인 가상공간 '클라우드' 교육
교육 장소	○○ 교육장
수강생 준비사항	◎ 스마트폰 (안드로이드폰) ◎ 스마트폰 교육 교재 (원하는 분 구입)
기관 준비사항	와이파이, 프로젝터 빔 또는 텔레비전
강 사 명	김미선(충남스마트미래교육원 대표 010-3154-9341)

회차	주제	주요 내용	교육 형태
1회차	디지털 세상의 이해, 스마트폰 기초	■ **디지털 세상의 이해** · 스마트폰 사용법을 왜 배워야 하는가? · 스마트폰 영어와 용어 ■ **스마트폰 기초** · 화면 자동 꺼짐 시간 설정 · 앱스 버튼 꺼내놓기 · 스마트폰 화면구성 3단계 · 스마트폰 사용 기본 설명 · 앱 설치 시 기본 상식 · 앱 설치 실습 ■ **스마트폰 운영체제의 이해** · 스마트폰 운영체제(프로그램) 이해하기 · 스마트폰 운영체제(프로그램)의 종류 · 세상의 변화와 스마트폰 정보 보안 · 안드로이드 버전과 스마트폰 정보 보안 · 갤럭시 스마트폰 안드로이드 버전 알기 · 내 스마트폰 안드로이드 버전 아는 방법 · 소프트웨어 업데이트 종류 2가지 · 소프트웨어 업데이트 설치 예약 방법 · **스마트폰 구입 시 참고사항** · 스마트폰을 사면 가장 먼저 하는 일 · 스마트폰에 저장하는 것 : 연락처 사진 · 스마트폰 구입 시 결정해야 할 사항 두 가지 · 스마트폰 기종 선택 시 참고사항 · 내 스마트폰 기종 아는 방법 · 배터리 및 디바이스 케어, 저장 공간 확인 · 내 계정 정보 알기 · 내 구글 계정 확인하는 방법 3가지 · 내 네이버 아이디 확인 방법 · 내 네이버 이메일 확인 방법 · 내 카카오계정 확인 방법 · 상단 메뉴 설명 : 와이파이, 소리/진동/무음, 블루투스, 자동 회전, 손전등, 절전 모드, 모바일 데이터, Smart View, 위치, QR코드 스캔, 비행기 탑승 모드, 방해 금지 등	이론, 실습

2회차	스마트폰 기초 및 활용	■ **와이파이와 모바일 데이터의 이해** · 와이파이란 무엇인가? · 모바일 데이터란 무엇인가? · 와이파이와 모바일 데이터의 이해 · 내 모바일 데이터 사용량 확인 방법 · 와이파이 연결되었는지 확인 방법 · 와이파이 표시 · 와이파이 연결 방법 · 와이파이 연결 시 확인사항 · 공공 와이파이 연결 방법 · 와이파이 QR코드 만드는 방법 · 와이파이 QR코드로 연결하는 방법 ■ **단체 카톡방 만들기** · QR코드란 무엇인가? · 일상 속의 다양한 QR코드 · 카카오톡 내 프로필 QR코드 사용 연습 · QR코드로 카톡 친구 추가하는 방법 · 카카오톡 내 프로필 QR코드 보여주는 방법 · 채팅방 알림 끄는 방법 · 채팅방 나가기 하는 방법 2가지 · 수업 시, 단체 채팅방 사용 공지 · 단체 채팅방 프로필 변경하는 방법 · 단체 채팅방 이름 변경하는 방법 · 단체 채팅방에 있는 사람 확인하는 방법	이론, 실습
3회차	스마트폰 카메라 사진촬영 및 갤러리 사진 편집 하기	■ **스마트폰 카메라 사진 촬영 기초** · 스마트폰 카메라의 특징 · 스마트폰 카메라/갤러리 버전 확인 · 스마트폰 카메라 기본 설정(장면별 최적 촬영, 촬영 구도 추천, QR코드 스캔, 수직/수평 안내선, 위치 태그, 촬영 방법 등) · 스마트폰 카메라 촬영 기초 : 용도별/상황별 사진 사이즈, 필터 사용하기, 렌즈 눈높이, 가로/세로 프레임, 적절한 빛 활용, 셀카, 그림자 지우기/빛반사 지우기, 사진 인화 사이즈/최소 해상도, 인물 촬영의 프레임, 무음/찰칵 소리 ■ **갤러리 활용 및 사진 편집** · 사진 상세정보, 해상도 보는 방법 · 갤러리에서 동영상만 모아 보는 방법 · 갤러리에서 동영상 만드는 방법 · 갤러리에서 사진 합치기, 콜라주 만드는 방법 · 갤러리에서 움직이는 이미지, GIF 만드는 방법 · 갤러리 사진 편집 및 보정 : 자르기, 필터, 모자이크, 사진 위에 사진 넣기 등 · 사진 편집 : 뒷배경 지우기 앱 Remove.bg 사용 방법 · 서명/도장 파일 만드는 방법 · 한글 문서에 서명·도장 파일 삽입 방법 · 디지털 시대, 파일 확장자의 이해 · 이미지 편집 보정 앱 종류	이론, 실습

4회차	네이버 앱 활용 하기	■ 네이버 앱 활용하기 · 컴퓨터로 인터넷 접속하는 웹 브라우저의 종류 · 스마트폰으로 인터넷 접속하는 앱 브라우저의 종류 · 나만의 네이버 홈 커버 만드는 방법 · 114 없이 전화번호 찾는 방법 · QR코드 스캐너 사용 방법 3가지 · 일상 속의 다양한 QR코드 · 네이버 앱으로 간편하게 번역하기 · 번역 연습 · 카메라 앱으로 번역하기 · 인터넷 검색 결과 보는 방법 · 인터넷에서 사진 다운로드하는 방법	이론, 실습
5회차	특별한 인사카드 만들기 (글그램)	■ 특별한 인사카드 만들기 - 글그램 · SNS 인사 디지털 소음 공해, 스팸 안 되려면? · 특별한 인사카드 만들기 과정 안내 · play스토어에서 앱 설치하는 방법 · 사진에 글쓰기 앱 센스 있게 사용하는 방법 · 사진에 글쓰기 앱 '글그램' 사용 순서	이론, 실습
6회차	움직이는 글씨 이미지 만들기 (글씨팡팡)	■ 재미있는 글씨 이미지 만들기 - 글씨팡팡 · 저작권 없는 무료 사이트 이용방법 · 움직이는 글씨(gif) 만들기 글씨팡팡 사용 순서	이론, 실습

7회차	교통 앱, 부동산 앱 이용 방법	**■ 교통 앱, 부동산 앱 이용 방법** · 지도/길 찾기 관련 앱 설치 · 카카오택시 사용 방법(카카오T) · 네이버 앱으로 길 찾기(네이버 지도) · 실제 거리를 보면서 길 찾는 방법(거리 뷰) · 다음 앱으로 길 찾기(카카오 맵) · 카카오 맵 위성 지도 보는 방법 · 카카오톡으로 위치정보 보내기 · 카카오 맵 거리 재기, 주소 보기(지번 찾기) · 알아두면 유용한 부동산 앱 · 부동산 정보 및 실거래가 보는 방법	이론, 실습
8회차	카카오톡 프로필 관리하기	**■ 카카오톡 프로필 관리하기** · 카카오톡 프로필의 의미 · 카카오톡 프로필 영역 설명 · 카카오톡 배경사진 바꾸는 방법 · 카카오톡 프로필 사진 바꾸는 방법 · 카카오톡 프로필에 스티커 꾸미기 · 카카오톡 배경사진 무료 다운로드 · 카카오톡 광고 차단 방법(채널 차단) · 카카오톡 사다리 타기 하는 방법 · 카카오톡 투표하기 참여하는 방법 · 카카오톡 저장 공간 확보하기(전체 설정) · 카카오톡 저장 공간 확보하기(각 채팅방)	이론, 실습
9회차	카카오톡 선물 하기	**■ 카카오톡 선물하기** · 시대에 따른 결제방식의 변화 · 온라인쇼핑, 금융 교육 시 사전 준비사항 · 본인 인증, 통신사 인증 시 유의사항 · 휴대폰으로 통신사 본인 인증하는 방법 · 온라인 쇼핑 교육 사전 준비 - 네이버 회원 가입 · 카카오톡 선물하기 준비사항 · 카카오톡 인증서 발급받기 · 카카오톡 인증서 사용처 · 카카오톡 선물하기 절차(카카오페이) · 카카오톡 선물하기 절차(휴대폰 결제) · 카카오톡 선물하기 순서(카카오페이) · 카카오톡 받은 선물 갤러리에 저장하는 방법 · 카카오톡 받은 선물 사용하는 방법(베이커리) · 카카오톡 받은 선물 사용하는 방법(편의점) · 카카오톡 받은 선물 사용하는 방법(전화 주문)	이론, 실습

10회차	스마트폰 사진, 연락처 온라인에 저장 하기 (구글-포토)	**■ 연락처 저장 위치** · 스마트폰 연락처 앱 · 각 연락처 저장 위치의 종류와 특징 · 현재 내 연락처 저장 위치 확인하는 방법 · 온라인 가상공간(클라우드)에 대한 이해 · 스마트폰에 저장된 연락처 구글 계정으로 이동하는 방법 · 연락처 동기화하는 방법 **■ 갤러리 사진 온라인 저장 공간에 백업 저장하기** · 스마트폰 사진 온라인 공간에 저장하는 방법 · 구글 폴더에 포토 앱 추가하기 · 스마트폰 사진 구글 포토에 백업 저장 설정	이론, 실습
11회차	간편 동영상 제 작하기	**■ 간편 동영상 만들기(스쿰파 앱)** · 스마트폰 동영상 편집 앱의 종류와 특징 · 동영상 만들기 과정 안내 · 스쿰파 앱으로 간편 동영상 만들기 **■ 연말 인사 영상 만들기(슬라이드 메시지)** · 슬라이드 메시지로 연말 인사 영상 만들기	이론, 실습
12회차	키오스크 연습 하기 /보이스피싱 예 방 방법	**■ 스마트폰으로 키오스크 연습하는 방법** · 스마트폰으로 키오스크 연습하는 방법 **■ 보이스피싱 예방 교육** · 디지털 금융 사기란? · 디지털 금융 사기의 종류 · 피싱이란? · 피싱의 유형 · 스미싱이란? · 스미싱 예방법 · 보이스피싱 예방을 위한 5가지 주의사항 · 보이스피싱 등 디지털 금융 사기당했을 때 · 보이스피싱 예방 방법 · 보이스피싱 사기 사례 영상	이론, 실습

13회차	스마트워크 1.	· 스마트폰 팩스 앱 – 모바일팩스 설명 · 스마트폰으로 팩스 보내는 방법 · 모바일팩스 보낼 때 주의사항 · 내 모바일 팩스번호 확인 방법 · 스마트폰으로 스캔하는 방법 · 스마트폰으로 스캔하는 방법(기기별 스캔 비교) · 줌(Zoom)으로 비대면 원격화상회의, 교육에 참여하는 방법 · 안 쓰는 스마트폰 공기계 활용 방법	
14회차	카카오톡 기본 사용	■ **카카오톡 메시지 보내는 방법** · 카카오톡 이모티콘 보내는 방법 · 카카오톡으로 사진/동영상 보내는 방법 · 카카오톡 사진 묶어 보내기 하는 방법 · 카카오톡 원본 사진 보내는 방법 · 카카오톡 예약 메시지 보내는 방법 · 카카오톡으로 받은 사진/동영상 내 갤러리에 저장하는 방법 · 카카오톡으로 메시지 보내는 방법(키보드) · 카카오톡으로 단체 메시지 보내는 방법(10명 미만) · 생활 곳곳에 스며드는 인공지능 음성 기술 · 스마트폰 음성 인식 마이크 · 띄어쓰기(사이 띄기)의 중요성 · 카카오톡 나와의 채팅 활용 방법 · 카카오톡에서 말로 메시지 보내는 방법(마이크) · 키보드 마이크로 말하기 연습(키보드 마이크) · 인공지능 마이크로 말하기 연습(네이버 마이크) · 인공지능 마이크로 말하기 연습(유튜브 마이크)	

| 15회차 | 전화, 연락처, 메시지 앱 사용하기 | ■ **전화 앱 사용하기**
· 스피커폰, 키패드(숫자판) 사용 방법
· 전화 앱 기본 설명(키패드)
· 전화 앱 기본 설명(최근 기록)
· 전화 수신 차단 방법(최근 기록)
· 070전화 수신 차단 방법
· 차단된 전화 해제 해제 방법(최근 기록)
· 전화 수신 차단 방법(연락처)
· 전화 수신 차단 해제 방법(연락처)
· 통화 자동 녹음 설정하는 방법
· 통화 자동 녹음된 파일 보는 방법
· 통화 자동 녹음된 파일 지우는 방법
· T전화에서 기본 전화 앱으로 바꾸는 방법
· 단축번호 등록하는 방법
■ **전화번호 저장 방법**
· 연락처에서 전화번호 저장 방법(연락처 앱)
· 걸려온 전화에서 전화번호 저장 방법(전화 앱)
· 받은 메시지에서 전화번호 저장 방법(메시지 앱)
· 내 연락처 QR코드 보여주는 방법
· QR코드로 전화번호 저장하는 방법
· 연락처 수정하는 방법
· 연락처에 계좌번호, 주소 등 메모 적어 놓는 방법
■ **메시지 앱 사용하기**
· 메시지 보내는 방법 3가지
· 연락처 앱에서 메시지 보내는 방법
· 전화 앱에서 메시지 보내는 방법
· 메시지 앱에서 메시지 보내는 방법
· 연락처 저장 안 한 사람에게 메시지 보내는 방법
· 메시지로 사진 보내는 방법
· 모르는 번호, 메시지 수신 차단 방법
· 차단된 메시지 차단 해제 방법
· 메시지 예약 전송하는 방법
· 안 읽은 메시지 한꺼번에 정리하는 방법
■ **연락처 앱 사용하기**
· 연락처에 그룹 만드는 방법
· 그룹에서 단체 문자 보내는 방법
· 연락처 내 프로필에 사진 등록하는 방법 | |

16회차	스마트워크 2.	■ 스마트워크 · 스마트폰에서 네이버 앱 로그인 확인 방법 · PC 네이버에서 스마트폰으로 QR로그인 하는 방법 · 스마트폰에서 이메일 내게 쓰기 하는 방법 · 스마트폰으로 이력서 작성하는 방법 · 메시지 앱 '채팅+'설정하는 방법 · 메시지로 문서 파일 보내는 방법 · 카카오톡으로 문서 파일 보내는 방법 · 문서 뷰어 사용 방법 · 네이버 마이박스 자동 올리기 끄는 방법 · pc에서 네이버 마이박스 종료 방법 · pc에서 카카오톡 PC버전 종료 방법	
17회차	유튜브 활용하기	■ 유튜브 활용 · 유튜브 시청 시 주의사항(광고 주의) · 유튜브에서 원하는 영상 찾는 방법 · 유튜브 영상 보는 방법(재생, 일시정지) · 유튜브 영상 보는 방법(배속으로 보기) · 유튜브 영상 보는 방법(화면 크게 보기) · 유튜브에 영상 올리는 절차 · 유튜브에 영상 올리는 절차(썸네일 적용) · 유튜브에 영상 올리는 방법 · 유튜브에서 내가 올린 동영상 보는 방법 · 앱 설치하는 스토어의 종류 3가지(안드로이드 폰) · 유튜브 영상/음악 다운로드하는 방법 · 스마트폰에 있는 앱 빨리 찾는 방법 · 스마트폰에 다운로드 위치 찾기, 저장 경로 찾는 방법(내 파일 앱)	이론, 실습

| 기타 스마트폰의 유용한 기능 알아보기 | · 노래방에서 번호 빨리 찾는 방법
· LED 전광판 사용방법(스마트폰으로 응원하기)
· 두 앱을 한꺼번에, 분할 화면 사용하기
· 긴급재난문자 수신 설정 및 차단하는 방법
· 스마트폰에 내 의료 정보 추가하는 방법
· 스마트폰에 긴급 연락처 추가하는 방법
· 스마트폰으로 녹음하는 방법
· 유튜브 영상 갤러리에서 보는 방법(화면 녹화 방법)
· 삼성페이 카드 등록하는 방법
· 삼성페이 사용 방법(편의점)
· 우체국 소포/택배 간편 사전 접수하는 방법
· 무인민원발급기 설치 장소 찾는 방법
· 블루투스 스피커 연결 방법
· 스마트폰 나침반 앱 사용 방법(네이버 지도)
· 근처 응급실 찾기, 병·의원 찾는 방법
· 탁상시계 사용 방법
· 제곱미터($㎡$)를 '평'으로 바꾸는 방법(계산기)
· '근'을 'kg'으로 바꾸는 방법(계산기)
· 모바일 핫스팟 연결 방법
· 모바일 핫스팟 비밀번호 설정 방법
· 좋은글 앱 활용하기
· PicMix 앱 활용하기
· 감성공장 앱 활용하기(캘리그라피 합성 앱)
· 스마트폰으로 도장 만들기
· 캘린더 연도별 달력 보는 방법
· 캘린더에 음력 제사, 생일 등 반복 저장하는 방법
· 스마트폰과 TV를 연결하는 방법(Smart View)
· 돋보기 사용방법
· 아나운서 목소리로 안내방송하는 방법(클로바 더빙)
· 화면 캡처(스크린샷)하는 방법 2가지
· 손으로 밀어서 캡처 설정 방법
· 보조 메뉴 화면 캡처(스크린샷) 설정 방법
· 보조 메뉴로 화면 캡처(스크린샷) 하는 방법
· 중요한 정보, 보안 폴더로 이동하기
· 당근마켓 앱 설치 방법
· 당근마켓 동네 인증하기
· 당근마켓에서 물건 사는 방법
· 당근마켓에서 채팅으로 물건 사는 방법
· 당근마켓에서 물건 파는 방법
· 당근마켓 상품 사진 등록 방법
· 카카오톡 톡게시판을 메모 저장공간으로 활용하는 방법
· 내 톡게시판에 있는 정보 찾는 방법
· 카톡에 내 생일 안 뜨게 하는 방법
· 온라인에서 쉽게 저지르는 저작권 침해 유형 10가지(1)
· 온라인에서 쉽게 저지르는 저작권 침해 유형 10가지(2)
· 온라인에서 쉽게 저지르는 저작권 침해 유형 10가지(3)
· 카카오톡 사용 원칙
· 인터넷 에티켓 10계명 | 이론,
실습 |

※ 위 내용은 수강생의 수준과 요구에 따라 변경될 수 있음.

목차

1장   **디지털 세상의 이해, 스마트폰 기초**   **27**

■ 디지털 세상의 이해
- · 스마트폰 사용법을 왜 배워야 하는가?
- · 스마트폰 영어와 용어

■ 스마트폰 기초
- · 화면 자동 꺼짐 시간 설정
- · 앱스 버튼 꺼내놓기
- · 스마트폰 화면구성 3단계
- · 스마트폰 사용 기본 설명
- · 앱 설치 시 기본 상식
- · 앱 설치 실습

■ 스마트폰 운영체제의 이해
- · 스마트폰 운영체제(프로그램) 이해하기
- · 스마트폰 운영체제(프로그램)의 종류
- · 세상의 변화와 스마트폰 정보 보안
- · 안드로이드 버전과 스마트폰 정보 보안
- · 갤럭시 스마트폰 안드로이드 버전 알기
- · 내 스마트폰 안드로이드 버전 아는 방법
- · 소프트웨어 업데이트 종류 2가지
- · 소프트웨어 업데이트 설치 예약 방법
- · 스마트폰 구입 시 참고사항
- · 스마트폰을 사면 가장 먼저 하는 일
- · 스마트폰에 저장하는 것 : 연락처 사진
- · 스마트폰 구입 시 결정해야 할 사항 두 가지
- · 스마트폰 기종 선택 시 참고사항
- · 내 스마트폰 기종 아는 방법
- · 배터리 및 디바이스 케어, 저장 공간 확인
- · 내 계정 정보 알기
- · 내 구글 계정 확인하는 방법 3가지
- · 내 네이버 아이디 확인 방법
- · 내 네이버 이메일 확인 방법
- · 내 카카오 계정 확인 방법

목차

· 상단 메뉴 설명 : 와이파이, 소리/진동/무음, 블루투스, 자동 회전, 손전등, 절전 모드, 모바일 데이터, Smart View, 위치, QR코드 스캔, 비행기 탑승 모드, 방해 금지 등

2장　스마트폰 기초 및 활용　　　　　　　　　　　　50

■ 와이파이와 모바일 데이터의 이해
· 와이파이란 무엇인가?
· 모바일 데이터란 무엇인가?
· 와이파이와 모바일 데이터의 이해

■ 내 모바일 데이터 사용량 확인 방법
· 와이파이 연결되었는지 확인 방법
· 와이파이 표시
· 와이파이 연결 방법
· 와이파이 연결 시 확인사항
· 공공 와이파이 연결 방법
· 와이파이 QR코드 만드는 방법
· 와이파이 QR코드로 연결하는 방법

■ 단체 카톡방 만들기
· QR코드란 무엇인가?
· 일상 속의 다양한 QR코드
· 카카오톡 내 프로필 QR코드 사용 연습
· QR코드로 카톡 친구 추가하는 방법
· 카카오톡 내 프로필 QR코드 보여주는 방법
· 채팅방 알림 끄는 방법
· 채팅방 나가기 하는 방법 2가지
· 수업 시, 단체 채팅방 사용 공지
· 단체 채팅방 프로필 변경하는 방법
· 단체 채팅방 이름 변경하는 방법
· 단체 채팅방에 있는 사람 확인하는 방법

| 3장 | 스마트폰 카메라 사진 촬영 및 갤러리 사진 편집하기 | 64 |

■ 스마트폰 카메라 사진 촬영 기초
· 스마트폰 카메라의 특징
· 스마트폰 카메라/갤러리 버전 확인
· 스마트폰 카메라 기본 설정(장면별 최적 촬영, 촬영 구도 추천, QR코드 스캔,
수직/수평 안내선, 위치 태그, 촬영 방법 등)
· 스마트폰 카메라 촬영 기초 : 용도별/상황별 사진 사이즈, 필터 사용하기,렌즈 눈높이,
가로/세로 프레임, 적절한 빛 활용, 셀카, 그림자 지우기/빛반사 지우기, 사진 인화
사이즈/최소 해상도, 인물 촬영의 프레임, 무음/찰칵 소리

■ 갤러리 활용 및 사진 편집
· 사진 상세정보, 해상도 보는 방법
· 갤러리에서 동영상만 모아 보는 방법
· 갤러리에서 동영상 만드는 방법
· 갤러리에서 사진 합치기, 콜라주 만드는 방법
· 갤러리에서 움직이는 이미지, GIF 만드는 방법
· 갤러리 사진 편집 및 보정 : 자르기, 필터, 모자이크, 사진 위에 사진 넣기 등
· 사진 편집 : 뒷배경 지우기 앱 Remove.bg 사용 방법
· 서명/도장 파일 만드는 방법
· 한글 문서에 서명·도장 파일 삽입 방법
· 디지털 시대, 파일 확장자의 이해
· 이미지 편집 보정 앱 종류

| 4장 | 네이버 앱 활용하기 | 82 |

■ 네이버 앱 활용하기
· 컴퓨터로 인터넷 접속하는 웹 브라우저의 종류
· 스마트폰으로 인터넷 접속하는 앱 브라우저의 종류
· 나만의 네이버 홈 커버 만드는 방법
· 114 없이 전화번호 찾는 방법
· QR코드 스캐너 사용 방법 3가지
· 일상 속의 다양한 QR코드
· 네이버 앱으로 간편하게 번역하기

· 번역 연습

· 카메라 앱으로 번역하기

· 인터넷 검색 결과 보는 방법

· 인터넷에서 사진 다운로드하는 방법

5장 **특별한 인사카드 만들기(글그램)** **91**

■ 특별한 인사카드 만들기 – 글그램

· SNS 인사 디지털 소음 공해, 스팸 안 되려면?

· 특별한 인사카드 만들기 과정 안내

· play스토어에서 앱 설치하는 방법

· 사진에 글쓰기 앱 센스 있게 사용하는 방법

· 사진에 글쓰기 앱 '글그램' 사용 순서

6장 **움직이는 글씨 이미지 만들기(글씨팡팡)** **97**

■ 재미있는 글씨 이미지 만들기 – 글씨팡팡

· 저작권 없는 무료 사이트 이용방법

· 움직이는 글씨(gif) 만들기 글씨팡팡 사용 순서

7장 **교통 앱, 부동산 앱 이용 방법** **100**

■ 교통 앱, 부동산 앱 이용 방법

· 지도/길 찾기 관련 앱 설치

· 카카오택시 사용 방법(카카오T)

· 네이버 앱으로 길 찾기(네이버 지도)

· 실제 거리를 보면서 길 찾는 방법(거리 뷰)

· 다음 앱으로 길 찾기(카카오 맵)

· 카카오 맵 위성 지도 보는 방법

· 카카오톡으로 위치정보 보내기

· 카카오 맵 거리 재기, 주소 보기(지번 찾기)

· 알아두면 유용한 부동산 앱

· 부동산 정보 및 실거래가 보는 방법

| 8장 | 카카오톡 프로필 관리하기 | 108 |

■ **카카오톡 프로필 관리하기**
· 카카오톡 프로필의 의미
· 카카오톡 프로필 영역 설명
· 카카오톡 배경사진 바꾸는 방법
· 카카오톡 프로필 사진 바꾸는 방법
· 카카오톡 프로필에 스티커 꾸미기
· 카카오톡 배경사진 무료 다운로드
· 카카오톡 광고 차단 방법(채널 차단)
· 카카오톡 사다리 타기 하는 방법
· 카카오톡 투표하기 참여하는 방법
· 카카오톡 저장 공간 확보하기(전체 설정)
· 카카오톡 저장 공간 확보하기(각 채팅방)

| 9장 | 카카오톡 선물하기 | 116 |

■ **카카오톡 선물하기**
· 시대에 따른 결제방식의 변화
· 온라인쇼핑, 금융 교육 시 사전 준비사항
· 본인 인증, 통신사 인증 시 유의사항
· 휴대폰으로 통신사 본인 인증하는 방법
· 온라인 쇼핑 교육 사전 준비 – 네이버 회원 가입
· 카카오톡 선물하기 준비사항
· 카카오톡 인증서 발급받기
· 카카오톡 인증서 사용처
· 카카오톡 선물하기 절차(카카오페이)
· 카카오톡 선물하기 절차(휴대폰 결제)
· 카카오톡 선물하기 순서(카카오페이)
· 카카오톡 받은 선물 갤러리에 저장하는 방법
· 카카오톡 받은 선물 사용하는 방법(베이커리)
· 카카오톡 받은 선물 사용하는 방법(편의점)
· 카카오톡 받은 선물 사용하는 방법(전화 주문)

목차

10장 **스마트폰 사진, 연락처 온라인에 저장하기(구글 포토)** **125**

■ 연락처 저장 위치
· 스마트폰 연락처 앱
· 각 연락처 저장 위치의 종류와 특징
· 현재 내 연락처 저장 위치 확인하는 방법
· 온라인 가상공간(클라우드)에 대한 이해
· 스마트폰에 저장된 연락처 구글 계정으로 이동하는 방법
· 연락처 동기화하는 방법

■ 갤러리 사진 온라인 저장 공간에 백업 저장하기
· 스마트폰 사진 온라인 공간에 저장하는 방법
· 구글 폴더에 포토 앱 추가하기
· 스마트폰 사진 구글 포토에 백업 저장 설정

11장 **간편 동영상 제작하기** **131**

■ 간편 동영상 만들기(스쿱파 앱)
· 스마트폰 동영상 편집 앱의 종류와 특징
· 동영상 만들기 과정 안내
· 스쿱파 앱으로 간편 동영상 만들기

■ 연말 인사 영상 만들기(슬라이드 메시지)
· 슬라이드 메시지로 연말 인사 영상 만들기

12장 **키오스크 연습하기/보이스피싱 예방 방법** **136**

■ 스마트폰으로 키오스크 연습하는 방법
· 스마트폰으로 키오스크 연습하는 방법

■ 보이스피싱 예방 교육
· 디지털 금융 사기란?
· 디지털 금융 사기의 종류
· 피싱이란?
· 피싱의 유형

· 스미싱이란?

· 스미싱 예방법

· 보이스피싱 예방을 위한 5가지 주의사항

· 보이스피싱 등 디지털 금융 사기당했을 때

· 보이스피싱 예방 방법

· 보이스피싱 사기 사례 영상

13장 **스마트워크 1.** **145**

· 스마트폰 팩스 앱 – 모바일팩스 설명

· 스마트폰으로 팩스 보내는 방법

· 모바일팩스 보낼 때 주의사항

· 내 모바일 팩스번호 확인 방법

· 스마트폰으로 스캔하는 방법

· 스마트폰으로 스캔하는 방법(기기별 스캔 비교)

· 줌(Zoom)으로 비대면 원격화상회의, 교육에 참여하는 방법

· 안 쓰는 스마트폰 공기계 활용 방법

14장 **카카오톡 기본 사용** **152**

■ **카카오톡 메시지 보내는 방법**

· 카카오톡 이모티콘 보내는 방법

· 카카오톡으로 사진/동영상 보내는 방법

· 카카오톡 사진 묶어 보내기 하는 방법

· 카카오톡 원본 사진 보내는 방법

· 카카오톡 예약 메시지 보내는 방법

· 카카오톡으로 받은 사진/동영상 내 갤러리에 저장하는 방법

· 카카오톡으로 메시지 보내는 방법(키보드)

· 카카오톡으로 단체 메시지 보내는 방법(10명 미만)

· 생활 곳곳에 스며드는 인공지능 음성 기술

· 스마트폰 음성 인식 마이크

· 띄어쓰기(사이 띄기)의 중요성

· 카카오톡 나와의 채팅 활용 방법

· 카카오톡에서 말로 메시지 보내는 방법(마이크)

· 키보드 마이크로 말하기 연습(키보드 마이크)

· 인공지능 마이크로 말하기 연습(네이버 마이크)

· 인공지능 마이크로 말하기 연습(유튜브 마이크)

15장 │ 전화, 연락처, 메시지 앱 사용하기   165

■ 전화 앱 사용하기

· 스피커폰, 키패드(숫자판) 사용 방법

· 전화 앱 기본 설명(키패드)

· 전화 앱 기본 설명(최근 기록)

· 전화 수신 차단 방법(최근 기록)

· 070전화 수신 차단 방법

· 차단된 전화 해제 해제 방법(최근 기록)

· 전화 수신 차단 방법(연락처)

· 전화 수신 차단 해제 방법(연락처)

· 통화 자동 녹음 설정하는 방법

· 통화 자동 녹음된 파일 보는 방법

· 통화 자동 녹음된 파일 지우는 방법

· T전화에서 기본 전화 앱으로 바꾸는 방법

· 단축번호 등록하는 방법

■ 전화번호 저장 방법

· 연락처에서 전화번호 저장 방법(연락처 앱)

· 걸려온 전화에서 전화번호 저장 방법(전화 앱)

· 받은 메시지에서 전화번호 저장 방법(메시지 앱)

· 내 연락처 QR코드 보여주는 방법

· QR코드로 전화번호 저장하는 방법

· 연락처 수정하는 방법

· 연락처에 계좌번호, 주소 등 메모 적어 놓는 방법

■ 메시지 앱 사용하기

· 메시지 보내는 방법 3가지

· 연락처 앱에서 메시지 보내는 방법

· 전화 앱에서 메시지 보내는 방법

· 메시지 앱에서 메시지 보내는 방법

· 연락처 저장 안 한 사람에게 메시지 보내는 방법

· 메시지로 사진 보내는 방법

· 모르는 번호, 메시지 수신 차단 방법

· 차단된 메시지 차단 해제 방법

· 메시지 예약 전송하는 방법

· 안 읽은 메시지 한꺼번에 정리하는 방법

■ 연락처 앱 사용하기

· 연락처에 그룹 만드는 방법

· 그룹에서 단체 문자 보내는 방법

· 연락처 내 프로필에 사진 등록하는 방법

16장 스마트워크 2. 189

■ 스마트워크

· 스마트폰에서 네이버 앱 로그인 확인 방법

· PC 네이버에서 스마트폰으로 QR 로그인 하는 방법

· 스마트폰에서 이메일 내게 쓰기 하는 방법

· 스마트폰으로 이력서 작성하는 방법

· 메시지 앱 '채팅+'설정하는 방법

· 메시지로 문서 파일 보내는 방법

· 카카오톡으로 문서 파일 보내는 방법

· 문서 뷰어 사용 방법

· 네이버 마이박스 자동 올리기 끄는 방법

· pc에서 네이버 마이박스 종료 방법

· pc에서 카카오톡 PC버전 종료 방법

17장 유튜브 활용하기 197

■ 유튜브 활용

· 유튜브 시청 시 주의사항(광고 주의)

· 유튜브에서 원하는 영상 찾는 방법

· 유튜브 영상 보는 방법(재생, 일시정지)

· 유튜브 영상 보는 방법(배속으로 보기)

· 유튜브 영상 보는 방법(화면 크게 보기)

· 유튜브에 영상 올리는 절차

· 유튜브에 영상 올리는 절차(썸네일 적용)

· 유튜브에 영상 올리는 방법

· 유튜브에서 내가 올린 동영상 보는 방법

· 앱 설치하는 스토어의 종류 3가지(안드로이드 폰)

· 유튜브 영상/음악 다운로드하는 방법

· 스마트폰에 있는 앱 빨리 찾는 방법

· 스마트폰에 다운로드 위치 찾기, 저장 경로 찾는 방법(내 파일 앱)

기타   기타 스마트폰의 유용한 기능 알아보기   206

· 노래방에서 번호 빨리 찾는 방법

· LED 전광판 사용방법(스마트폰으로 응원하기)

· 두 앱을 한꺼번에, 분할 화면 사용하기

· 긴급재난문자 수신 설정 및 차단하는 방법

· 스마트폰에 내 의료 정보 추가하는 방법

· 스마트폰에 긴급 연락처 추가하는 방법

· 스마트폰으로 녹음하는 방법

· 유튜브 영상 갤러리에서 보는 방법(화면 녹화 방법)

· 삼성페이 카드 등록하는 방법

· 삼성페이 사용 방법(편의점)

· 우체국 소포/택배 간편 사전 접수하는 방법

· 무인민원발급기 설치 장소 찾는 방법

· 블루투스 스피커 연결 방법

· 스마트폰 나침반 앱 사용 방법(네이버 지도)

· 근처 응급실 찾기, 병·의원 찾는 방법

· 탁상시계 사용 방법

· 제곱미터(m^2)를 '평'으로 바꾸는 방법(계산기)

· '근'을 'kg'으로 바꾸는 방법(계산기)

· 모바일 핫스팟 연결 방법

· 모바일 핫스팟 비밀번호 설정 방법

· 좋은글 앱 활용하기

· PicMix 앱 활용하기

· 감성공장 앱 활용하기(캘리그라피 합성 앱)

· 스마트폰으로 도장 만들기

· 캘린더 연도별 달력 보는 방법

· 캘린더에 음력 제사, 생일 등 반복 저장하는 방법

· 스마트폰과 TV를 연결하는 방법(Smart View)

· 돋보기 사용방법

· 아나운서 목소리로 안내방송하는 방법(클로바 더빙)

· 화면 캡처(스크린샷)하는 방법 2가지

· 손으로 밀어서 캡처 설정 방법

· 보조 메뉴 화면 캡처(스크린샷) 설정 방법

· 보조 메뉴로 화면 캡처(스크린샷) 하는 방법

· 중요한 정보, 보안 폴더로 이동하기

· 당근마켓 앱 설치 방법

· 당근마켓 동네 인증하기

· 당근마켓에서 물건 사는 방법

· 당근마켓에서 채팅으로 물건 사는 방법

· 당근마켓에서 물건 파는 방법

· 당근마켓 상품 사진 등록 방법

· 카카오톡 톡게시판을 메모 저장공간으로 활용하는 방법

· 내 톡게시판에 있는 정보 찾는 방법

· 카톡에 내 생일 안 뜨게 하는 방법

· 온라인에서 쉽게 저지르는 저작권 침해 유형 10가지(1)

· 온라인에서 쉽게 저지르는 저작권 침해 유형 10가지(2)

· 온라인에서 쉽게 저지르는 저작권 침해 유형 10가지(3)

· 카카오톡 사용 원칙

· 인터넷 에티켓 10계명

스마트폰 활용교육, 디지털 교육,
정보화 교육 기본 교재

스마트폰 사용법
쉽게 배우기

저자 소개

프로필

충남스마트미래교육원 대표
SNS소통연구소 충남지부장

연락처

▶ 전화번호 : 010-3154-9341
▶ 이메일 : misun5957@naver.com
▶ 블로그 : https://blog.naver.com/misun5957

강의 분야

▶ 스마트폰활용교육
▶ 스마트폰활용지도사 양성과정 자격증 과정 교육
▶ 동영상 제작 강의/유튜브 크리에이터 교육
▶ SNS홍보 마케팅 교육/블로그 교육/퍼스널 브랜딩
▶ 스마트워크
▶ 성인문해교육/디지털문해교육/디지털역량강화교육
▶ 실버 스마트 IT정보화교육
▶ 노노케어 디지털활동가 교육
▶ 비대면 키오스크 교육
▶ 자원봉사자 교육

저서 출판

▶ 업무효율 200% 향상시키는 스마트워크 책(2022)
▶ 스마트폰으로 여는 디지털세상(2021)
▶ 누구나 쉽게 따라 하는 SNS마케팅(2021)
▶ 김미선과 함께 하는 스마트폰 기초(2019)
▶ 4차 산업혁명 200배 즐기기(2017)

이 책에 사용된 스마트폰 기종 및 버전

- 스마트폰 기종 : 삼성 갤럭시 등 안드로이드 폰
- 안드로이드 버전 : 13
- One UI버전 : 5.0

디지털세상의 이해

스마트폰을 왜 배워야 하는가 - 세상의 변화

스마트폰으로 인해 달라지는 세상

카메라 / 편지 / 공중전화 / 종이사전 전자사전 / GPS / 내비게이션 / 달력 / 서점 / 수첩 / 신문

매장 / 종이지도 / 114 번호안내 / 전화번호부 / 게임기 / MP3 / TV / 버스표 기차표 / 가계부 / 팩스

사진관 / 우체국 / 녹음기 / 시계 / 영화관 / 후레쉬 / 나침반 / 앨범 / 계산기 / 라디오

PC방 / 통역 번역 / 은행 / 증권사 / 방송국 / 부동산 / 유선전화 / 캠코더 / USB / 종이 벼룩시장

스마트폰을 왜 배워야 하는가 - 디지털 문맹

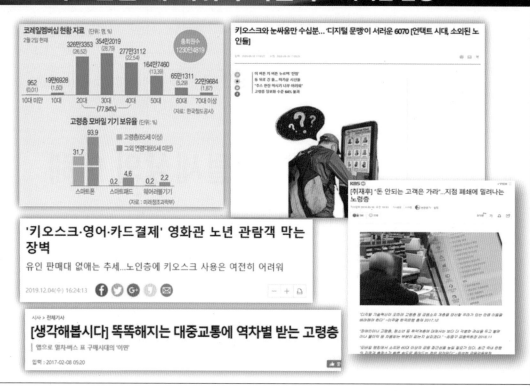

키오스크와 눈싸움만 수십분... '디지털 문맹'이 서러운 6070 [언택트 시대, 소외된 노인들]

'키오스크·영어·카드결제' 영화관 노년 관람객 막는 장벽

유인 판매대 없애는 추세...노인층에 키오스크 사용은 여전히 어려워

2019.12.04(수) 16:24:13

[취재후] "돈 안되는 고객은 가라"...지점 폐쇄에 밀리는 노령층

시사 > 전체기사

[생각해봅시다] 똑똑해지는 대중교통에 역차별 받는 고령층

앱으로 열차·버스 표 구매시대의 '이면'

입력: 2017-02-08 05:20

스마트폰을 왜 배워야 하는가 – 디지털 문맹

- 문해교육 : 글을 읽고 이해하는 능력을 기르기 위한 교육이다. 일상생활을 영위하는데 필요한 기초학습 능력이 부족해 가정 및 사회, 직업생활에서 불편을 느끼는 만 18세 이상 성인 비문해자를 대상으로 하는 교육이다.

- 디지털 문해교육 : 정보화로 사회가 급속도로 변화함에 따라 스마트폰 활용법 무인기기 사용법 등 새로이 등장한 디지털 기기와 애플리케이션(앱)을 쉽게 쓸 수 있도록 돕는 21세기형 문해교육이다.

스마트폰을 왜 배워야 하는가 – 비대면 시대

스마트폰을 왜 배워야 하는가 – 디지털 금융 사기

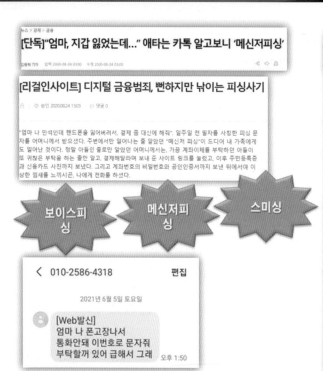

[단독]"엄마, 지갑 잃었는데..." 애타는 카톡 알고보니 '메신저피싱'

[리걸인사이트] 디지털 금융범죄, 뻔하지만 낚이는 피싱사기

"엄마 나 민석인데 핸드폰을 잃어버려서, 결제 좀 대신에 해줘". 일주일 전 필자를 사칭한 피싱 문자를 어머니께서 받으셨다. 주변에서만 일어나는 줄 알았던 "메신저 피싱"이 드디어 내 가족에게 도 일어난 것이다. 정말 아들이 줄로만 알았던 어머니께서는, 가끔 계좌이체를 부탁하던 아들이 또 귀찮은 부탁을 하는 줄로 알고, 결제해달라며 보내 준 사이트 링크를 눌렀고, 이후 주민등록증과 신용카드 사진까지 보냈다. 그리고 계좌번호의 비밀번호와 공인인증서까지 보낸 뒤에서야 이상한 냄새를 느끼시곤, 나에게 전화를 하셨다.

e세상은 지금... 가짜뉴스와 전쟁 중

<1>소셜미디어와 페이크(fake) 뉴스

비용 안 드는 소셜미디어 확산 영향
가짜뉴스 등 부작용 우려 높아져
싱가포르 등 유포자 강력한 처벌
정치 개입에도 이용 철저한 대비 필요

< 00610380427759 ∨ ⋮

저장되지 않은 번호로 온 메시지입니다. 스미싱이나 피싱에 유의하세요.

수신 차단

7월 14일 목요일

[국제발신]
[요청하신 결제금액]
KRW 2,592,400원
정상처리
되었습니다
본인결제아닐시
050-5061-8010 오전 11:45

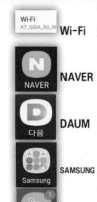

보이스피싱

메신저피싱

스미싱

< 010-2586-4318   편집

2021년 6월 5일 토요일

[Web발신]
엄마 나 폰고장나서
통화안돼 이번호로 문자줘
부탁할꺼 있어 급해서 그래   오후 1:50

스마트폰 속의 영어와 용어

Wi-Fi KT_GIGA_5G_W	Wi-Fi
NAVER	NAVER
DAUM	DAUM
Samsung	SAMSUNG
BAND	BAND

G Google	Google
YouTube	YouTube
Play 스토어	Play스토어
Play 뮤직	Play뮤직

현대Hmall	현대Hmall
GS SHOP	GS SHOP
CJmall	CJmall
SSG.COM	SSG.COM
NS홈쇼핑	NS홈쇼핑

NH Bank NH뱅킹	NH뱅킹
NH농협카드	NH카드
KB국민카드	KB국민카드
모바일지로	GIRO

메신저, 메시지
클릭, 터치
앱, 어플,
어플리케이션,
애플리케이션
디스플레이,
디바이스 케어
캘린더, 와이파이,
모바일 데이터,
블루투스, NFC,
모바일 핫스팟,
Smart View

스마트폰이 익숙하지 않은 분들은 스마트폰에서 사용되는 영어와 용어가
익숙하지 않은 분들이 많습니다.
'커피'는 영어이지만 우리가 생활 속에서 자주 사용하기 때문에
일상어가 되었듯이 스마트폰 활용교육을 통해 스마트폰 속의 영어도
자주 사용하다 보면 일상어가 될 것입니다.

스마트폰 기초

화면 자동 꺼짐 시간 설정

1. 1시 방향 설정 터치

2. 디스플레이 터치

3. 화면 자동 꺼짐 시간 터치

4. 5분 터치

5. 뒤로

설정

앱스 버튼 꺼내 놓기

1. 1시 방향 설정 터치
2. 홈 화면 터치
3. 홈 화면에 앱스 버튼 추가 터치
4. 뒤로

설정

스마트폰 화면 구성 3단계

| 잠금 화면 | 홈 화면 | 앱스 화면 |

스마트폰 화면구성 3단계

1. 잠금화면 – 대문
2. 홈 화면 – 거실
3. 앱스 화면 – 안방

◆ 화면잠금방식
- 드래그
- 패턴
- PIN(숫자)
- 비밀번호(영문+숫자)
- 설정 안 함

스마트폰 사용 기본 설명

- 우리가 일상에서 사용하는 물품들은 각 사용 방법이 있는 것처럼 스마트폰의 화면에도 많은 기호와 용어가 있습니다.
- 그 기호와 용어를 잘 사용하면 스마트폰을 쉽게 사용할 수 있습니다.

넣는다.　　　앉는다.　　　돌린다.　　뚜껑을 돌린다.　누른다.　　돌린다.

스마트폰 사용 기본 설명

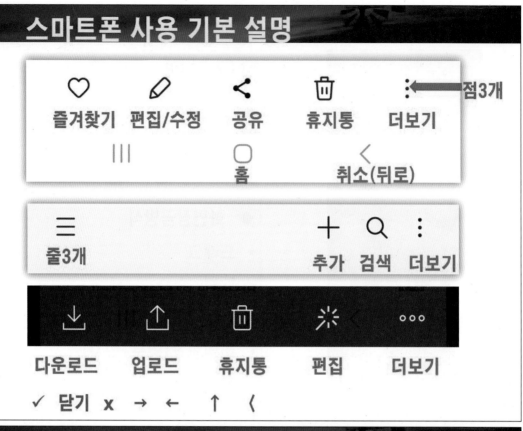

스마트폰 사용 기본 설명

- 스마트폰 사용 시, 각 단계에서 화면에 나온 내용을 잘 읽고, 앞에 뜬 무언가를 눌러야 다음 단계로 이동합니다.
- 불필요한 광고는 '닫기'나 X를 누릅니다.

▪ **설치**	▪ **접근 권한 허용**
▪ **완료**	▪ **앱 사용중에만 허용**
▪ **확인**	▪ **엑세스 허용(접근 허용)**
▪ **다음**	▪ **나중에**
▪ **동의**	▪ **다시 보지 않기**
▪ **열기**	

스마트폰 사용 기본 설명

앱 설치 또는 스마트폰 사용 시, 앞에 뜬 무언가를 눌러야 다음 단계로 이동합니다. 아래 화면에서 무엇을 터치해야 할까요?

1.　　**2.**　　**3.**　　**4.**　　**5.**

스마트폰 사용 기본 설명

앱 설치 또는 스마트폰 사용 시, 앞에 뜬 무언가를 눌러야 다음 단계로 이동합니다. 아래 화면에서는 무엇을 터치해야 할까요?

1.　　　**2.**　　　**3.**　　　**4.**

스마트폰 사용 기본 설명

앱 사용시, 광고에 주의해야 합니다.

아래 스마트폰 화면에서 어떤 것이 광고일까요?

1.   2.   3.   4.   5.

 ← 옆의 표시는 광고라는 의미입니다.

앱 설치 시 기본 상식

앱 설치 또는 스마트폰 사용 시, 앞에 뜬 무언가를 눌러야 다음 단계로 이동합니다. 아래 화면에서 무엇을 터치해야 할까요?

1.   2.   3.   4.   5.

앱 설치 시 기본 상식

앱 설치 또는 스마트폰 사용 시, 앞에 뜬 무언가를 눌러야 다음 단계로 이동합니다. 아래 화면에서 무엇을 터치해야 할까요?

1.  **2.**  **3.**  **4.**  **5.**

앱 설치 시 기본 상식

앱 설치 또는 스마트폰 사용 시, 앞에 뜬 무언가를 눌러야 다음 단계로 이동합니다. 아래 화면에서 무엇을 터치해야 할까요?

앱 설치 실습

Play스토어에서 앱을 설치해 봅시다.

Play 스토어　　글그램　　글씨팡팡

카카오맵　　네이버 지도　　카카오 T　　카카오내비　　TMAP

모바일 팩스　　vFlat　　전광판 LED　　응급의료정보제공

스마트폰 운영체제 이해

스마트폰 운영체제(프로그램) 이해하기

컴퓨터란 무엇인가?

삼성전자, LG전자

컴퓨터 기계를 만든다.

마이크로소프트

컴퓨터에
윈도우 프로그램을 넣는다.

스마트폰 운영 체제(프로그램) 이해하기

스마트폰이란 무엇인가?

삼성전자

스마트폰 기계를 만든다.

구글

스마트폰 기계에
안드로이드 프로그램을
넣는다.

스마트폰 운영체제(프로그램)의 종류

- 개발사 : 구글
- 이 름 : 안드로이드 운영체제
- 사용처 : 삼성 갤럭시 스마트폰, 태블릿 등

- 개발사 : 애플
- 이 름 : iOS 운영체제
- 사 용 : 아이폰, 아이패드

세상의 변화와 스마트폰 정보보안

- 아래 사진의 공통점은 사람이 많이 몰리는 곳이라는 것입니다.
- 과거에는 백화점, 전통시장, 명동 등에 사람들이 많이 모였지만, 최근에는 유튜브, 네이버, 카카오톡, SNS 등 온라인에 사람이 많이 몰리고 있습니다.

안드로이드 버전과 스마트폰 정보보안

안드로이드 최신 버전 업데이트 요구하는 이유

4월 온라인쇼핑 두달 연속 15조원대 회복...

온라인으로 사람이 모인다.   **사람이 모인 곳에 돈이 모인다.**   **돈이 모인 곳에 사기꾼이 모인다.**

갤럭시 스마트폰 안드로이드 버전 알기

안드로이드 버전	버전이름	출시년도
안드로이드 버전 4.4	킷캣	2013. 10. 31
안드로이드 버전5.0/5.1	롤리팝	2014. 10. 16
안드로이드 버전6.0/6.0.1	마시멜로	2015. 05. 28
안드로이드 버전7.0/7.1	누가	2016. 08. 22
안드로이드 버전8.0/8.1	오레오	2017. 08. 21
안드로이드 버전 9	파이	2018. 08. 06
안드로이드 버전 10	안드로이드 10	2019. 09. 03
안드로이드 버전 11	안드로이드11/R	2020. 02. 20
안드로이드 버전 12	안드로이드 버전 12	2021. 10. 04
안드로이드 버전 13	안드로이드 버전 13	2022. 08. 16

내 스마트폰 안드로이드 버전 아는 방법

- One UI란 '유저 인터페이스'로 갤럭시 스마트폰의 '사용자 환경'을 말합니다.
- 사용자 환경은 개인의 취향에 따라 잠금 화면 방식, 배경 이미지, 시계 스타일, 팝업, 홈 화면 꾸미기 등을 마음껏 꾸밀 수 있습니다.
- 안드로이드 버전과 One UI 버전에 따라 각자의 스마트폰 기능과 화면이 다를 수 있습니다.

1. 1시 방향 설정 터치

2. 맨 아래쪽 '휴대전화 정보' 터치

3. 소프트웨어 정보 터치

4. One UI 버전 확인　(　　　)

5. 안드로이드 버전 확인 (　　　)

6. 뒤로

설정

소프트웨어 업데이트 종류 2가지

1. 스마트폰 시스템 업데이트
2. 앱 업데이트

스마트폰 업데이트는 크게 두 가지가 있습니다. 하나는 스마트폰 본체 자체의 시스템 업데이트이고, 또 하나는 각각 설치되어 있는 애플리케이션(앱/프로그램) 업데이트입니다.

소프트웨어 업데이트 설치 예약 방법

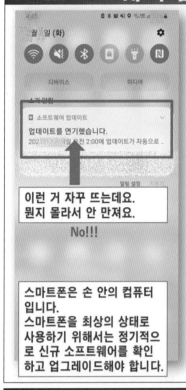

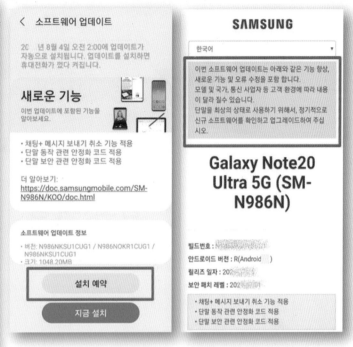

이런 거 자꾸 뜨는데요.
뭔지 몰라서 안 만져요.

No!!!

스마트폰은 손 안의 컴퓨터
입니다.
스마트폰을 최상의 상태로
사용하기 위해서는 정기적으
로 신규 소프트웨어를 확인
하고 업그레이드해야 합니다.

소프트웨어 업데이트 설치 예약 방법

1. 1시 방향 설정 *터치*

2. 아래쪽 '소프트웨어 업데이트' *터치*

3. 최신 업데이트 확인

4. 뒤로

주황색 N 표시가 있으면 설치할 소프트웨어 최신 버전이 있
다는 의미입니다.

설치 예약을 눌러 활동하지 않는 시간(예: 새벽 2시~5시)에
업데이트하도록 예약해 놓습니다.

설정

스마트폰 구입 시
참고 사항

스마트폰을 사면 먼저 하는 일

1. 앱을 설치해야 돼요. 예를 들면 카카오톡, 네이버 등..
2. 앱을 설치하려면 Play스토어를 이용해야 돼요.
3. Play스토어를 사용하려면 구글 계정이 있어야 해요.
4. 나는 카카오톡을 사용하고 있어요. → 내 구글 계정이 있다는 의미

- 누군가 내 구글 계정을 만들었어요. (나? 핸드폰 가게 사장님? 남편? 자녀?)
- 누군가 내 구글 계정을 만들었지만 나는 내 구글 계정을 몰라요.

카카오톡 설치하려면? → Play스토어에서 설치 → 구글 계정 있어야 함. → 누군가 내 구글 계정 만들었음.

스마트폰에 저장하는 것 : 연락처, 사진

1. 스마트폰에 보관하는 대표적인 것은 연락처와 사진, 동영상 등이 있습니다.

2. 구글 저장 공간을 활용하여 저장하면, 새 휴대폰으로 교체 후 구글 계정 로그인하면 이전 스마트폰에서 저장된 연락처와 사진, 동영상을 각 앱에서 볼 수 있습니다.

3. 보통 2년~5년에 한 번씩 스마트폰 교체합니다.

4. 새 스마트폰 구입할 때 기존에 사용하던 구글 계정으로 가입합니다.

5. 카카오톡 계정도 기존에 사용하던 계정으로 가입합니다.

6. 따라서 기존에 사용하던 스마트폰에서 구글 계정, 카카오계정 등을 확인한 후, 잊지 않을 곳에 보관합니다.

스마트폰 구입 시 결정해야 할 사항 두 가지

1. 기종 선택
(S, A, 노트, Z)

스마트폰
저장공간 용량

32GB, 64GB
128GB, 256GB
512GB

2. 요금제

모바일 데이터 용량

500MB
2.8GB
4.5GB
110GB

스마트폰 기종 선택 시 참고사항

- 삼성 갤럭시 **S**시리즈 : **주력상품**, **첨단 기술**, **고가**, S10, S20, S21, S22, S23
- 삼성 갤럭시 **A**시리즈 : **중급형**, A04, A73, A53, A33, A23…
- 삼성 갤럭시 M시리즈 : 보급형
- 삼성 갤럭시 노트시리즈 : 노트(펜 들어있는 것)
- 삼성 갤럭시 **Z**시리즈 : Z플립(상하 접는 거), Z폴드 (좌우 접는 거)

스마트폰 용량
32GB
64GB
128GB
256GB
512GB

내 스마트폰 기종 아는 방법

1. 1시 방향 설정 터치

2. 맨 아래쪽 '휴대전화 정보' 터치

3. 기종 확인 (   )

4. 뒤로

- 제품명(기종) : 갤럭시 노트20 울트라 5G
- 모델명 : SM-N986N

전화번호   010-
제품명   Galaxy Note20 Ultra 5G
모델명   SM-N986N
시리얼 번호
IMEI
상태 정보
법률 정보
규제 정보

- 모델명(기종) : 갤럭시 S21 5G
- 모델번호 : SM-G991N

모델명
Galaxy S21 5G
모델번호
SM-G991N
시리얼 번호
IMEI
설정

배터리 및 디바이스 케어, 저장공간 확인

1. 1시 방향 설정 *터치*

2. 중간쯤 '배터리 및 디바이스 케어' *터치*

3. 지금 최적화 → 완료

4. 저장공간 확인

5. RAM→ 지금 정리

6. 디바이스 보호 → 휴대전화 검사

설정

내 계정 정보 알기

20 년   월   일 현재

	내 용	계정/아이디	비밀번호
1	구글 계정		
2	네이버 아이디(ID)		
	네이버 메일		
3	카카오 계정		
	카카오톡 간편 비밀번호 (숫자6자리)		
	카카오톡 인증서 비밀번호 (영문+숫자+특수문자)		
4			
5			
6			

내 구글 계정 확인하는 방법 3가지

1. 스마트폰 설정 : 1시 방향 설정 → 중간 쯤에 Google → 지메일 계정(아이디@gmail.com)이 구글 계정임.

2. play스토어 : 1시 방향 동그라미 → 지메일 계정(아이디@gmail.com)이 구글 계정임.

3. 유튜브 : 1시 방향 동그라미 → 지메일 계정(아이디 @gmail.com)이 구글 계정임.

내 네이버 아이디 확인 방법

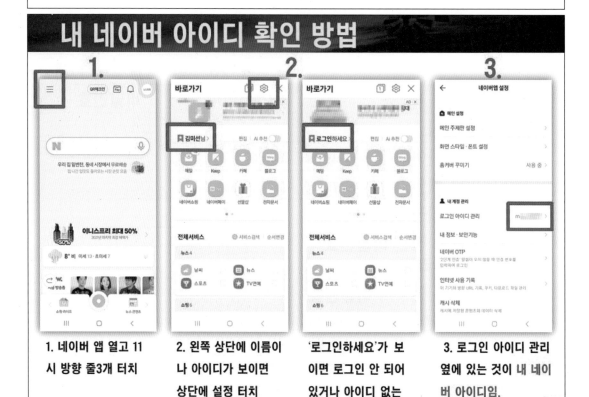

1. 네이버 앱 열고 11 시 방향 줄3개 터치

2. 왼쪽 상단에 이름이 나 아이디가 보이면 상단에 설정 터치

'로그인하세요'가 보 이면 로그인 안 되어 있거나 아이디 없는 것임.

3. 로그인 아이디 관리 옆에 있는 것이 내 네이 버 아이디임.

내 네이버 이메일 확인 방법

1.

2.

3.

1. 네이버 앱 열고 11시 방향 줄3개 터치

2. 왼쪽 상단에 이름이나 아이디 터치

'로그인하세요'가 보이면 로그인 안 되어 있거나 아이디 없는 것임.

3. 내 이름 밑에 있는 것이 내 네이버 이메일임.

내 카카오계정 확인 방법

1.

2.

3.

1. 카카오톡 상단에 설정 터치

2. 전체 설정 터치

3. 카카오계정 확인

상단 메뉴 설명

와이파이와
모바일 데이터의 이해

와이파이(Wi-Fi)란 무엇인가?

1. 스마트폰에서 카카오톡을 하거나 인터넷에 접속하려면 와이파이나 LTE와 같은 데이터 통신을 사용해야 합니다.

2. 와이파이는 연결 장치(무선 공유기)가 있는 일정 거리 안에서 무선 인터넷을 사용할 수 있는 기술입니다. 흔히 우산 모양으로 표시됩니다.

3. 무료로 사용할 수도 있고 비밀번호를 알아야 접속할 수 있는 와이파이도 있습니다.

모바일 데이터란 무엇인가?

1. LTE(엘티이)는 가입한 통신사의 네트워크를 이용하여 인터넷을 사용하는 것을 의미합니다.

2. 모바일 데이터는 가입한 요금제에 따라 무료로 제공하는 데이터양이 정해집니다.

3. 정해진 데이터양을 넘어서 사용하면 추가 요금을 내야 합니다.

와이파이와 모바일 데이터의 이해

와이파이와 모바일 데이터를 사용하지 않는 앱

전화   메시지   캘린더   계산기

시계   연락처   내 파일   설정

카메라   갤러리

와이파이와 모바일 데이터를 사용하는 앱

YouTube   Play 스토어   카카오톡   카카오내비

모바일 팩스   BAND   NH뱅킹   Zoom

Papago   NAVER   다음   롯데홈쇼핑

내 모바일 데이터 사용량 확인 방법

1. 설정 → 연결

2. 데이터 사용

3. 모바일 데이터 사용량

설정

내 모바일 데이터 사용량 확인 방법

1. 설정 → 연결

2. 데이터 사용

3. 모바일 데이터 사용량

4. 기간별로 볼 수 있음.

와이파이 연결되었는지 확인 방법

연결 안 됨!

연결 잘 됨!

와이파이 표시

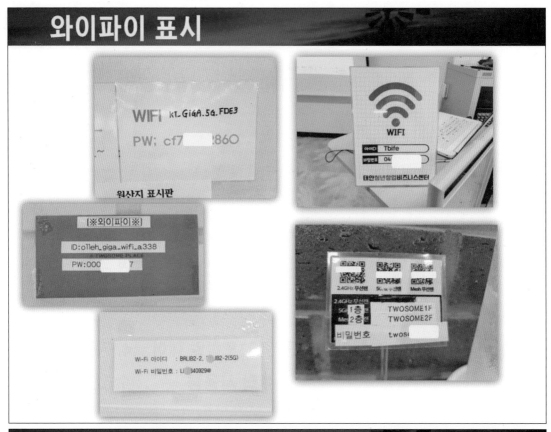

와이파이 연결 방법

1. 스마트폰 첫 화면에서 위쪽의 알림줄을 아래로 끌어내린다.

2. 와이파이 모양을 길게 누른다.

3. 현재 연결할 수 있는 와이파이 목록이 표시된다. 연결하려는 와이파이를 누른다.

4. 와이파이 비밀번호가 필요한 경우 비밀번호를 쓰고 '자동으로 다시 연결'을 체크한다.

5. 와이파이로 연결되었는지 확인한다.

와이파이 연결 시 확인사항

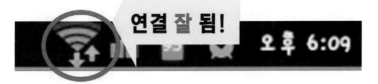

연결 잘 됨!

오후 6:09

연결 안 됨!

오후 8:41

57% 오후 4:43

공공와이파이 연결 방법

< Wi-Fi

사용 중

현재 네트워크

Public WiFi Free
네트워크에 로그인하세요.

T wifi zone_secure

T wifi zone
인터넷을 사용할 수 없음

T wifi zone_secure
T wifi zone_secure을(를) 통해 사용 가능

Public WiFi Secure

+ 네트워크 추가

Public WiFi Free에 로그인
www.cpnia.com

공공와이파이
Public WiFi

공공와이파이
이용하기

보안접속
이용안내

와이파이 연결 방법

와이파이 QR코드를 인쇄하여 붙여 놓으면 편리합니다.

KT 가정용 와이파이 공유기

와이파이 QR코드 만드는 방법

와이파이 QR코드를 인쇄하여 붙여 놓으면 편리합니다.

1. Wi-Fi 모양 길게 누르기	2. 설정	3. QR코드	4. 이미지로 저장

와이파이 QR코드로 연결하는 방법

QR코드 스캐너는 스마트폰 상단에 있는 것이나 네이버 앱을 이용합니다.

스마트폰 상단 메뉴

네이버 앱

단체 카톡방 만들기

QR코드란 무엇인가?

- QR 뜻: Quick Response 빠른 답변
- 스마트폰에서 QR코드를 스캔하면 QR코드 내부에 담긴 내용이 뜸.
- QR코드 스캐너를 열고 카메라 찍듯이 QR코드 영역에 대면 자동으로 인식함.
- QR코드 스캐너 있는 곳 : 스마트폰 상단, 네이버 그린닷, 카카오톡 흔들기

일상 속의 다양한 QR코드

경복궁 관람 안내

건강보험자격득실확인서 발급

서울시청 홈페이지

제주시청 관광안내

안드로이드 설명

주민등록 등본 발급

청와대 관람 예약

삼성 갤럭시 시리즈

카카오톡 내 프로필 QR코드 사용 연습

1. 짝꿍 중 한 명은 자신의 카카오톡 내 프로필 QR코드를 보여줍니다.

2. 다른 한 명은 카카오톡 QR코드 스캐너 카메라를 열어 짝꿍의 카카오톡 프로필 QR코드로 친구 추가합니다.

3. 바꿔서 연습합니다.

QR코드로 카톡 친구추가하는 방법

강사는 수업을 위한 단체카톡방을 만들기 위해 강사의 카카오톡 프로필 QR코드를 보여 줍니다.

1. 카카오톡 열기

2. 친구 → 상단에 사람 모양에 더하기

3. QR코드 터치

4. 카메라가 나오면 QR코드를 인식하게 해 주세요.

카카오톡 내 프로필 QR코드 보여주는 방법

1. 카카오톡 열기

2. 친구 → 상단에 사람 모양에 더하기

3. QR코드 터치

4. 하단에 내 프로필 터치

채팅방 알림 끄는 방법

1. 카카오톡 → 채팅

2. 단체카톡방 입장

3. 상단 1시 방향 삼선 터치

4. 하단 종 모양 터치

5. 뒤로

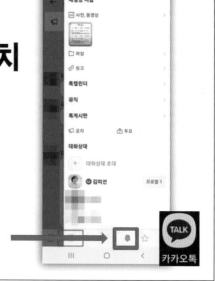

알림 끄기 ➡

채팅방 나가기 하는 방법 2가지

채팅 화면에서 나가
고자 하는 채팅방을
길게 누른 후'나가
기'한다.

1. 카카오톡 → 채팅
2. 단체카톡방 입장
3. 상단 1시 방향 삼선 터치
4. 하단 나가기 모양 터치

수업 시, 단체 채팅방 사용 공지

1. 이 방은 스마트폰 교육을 위한 용도로
만 사용합니다.

2. 개인적으로 좋아하는 아름다운 글, 좋
은 글, 예쁜 사진, 정치, 종교 관련 내용
은 올리지 않습니다.

3. 알림은 꺼 놓습니다.

단체 채팅방 프로필 변경하는 방법

1. 카카오톡 → 채팅
2. 단체 카톡 방 입장
3. 상단 1시 방향 삼선 터치
4. 하단 5시 방향 설정 터치
5. 사진 4개 있는 곳 터치
6. 커스텀 프로필 만들기 터치
7. 텍스트 입력 부분 터치하고 단체방 이름 씀.
8. 스마일, 색깔, 알파벳 터치하여 변경
9. 1시 방향 확인 터치

단체 채팅방 이름 변경하는 방법

1. 카카오톡 → 채팅
2. 단체 카톡 방 입장
3. 상단 1시 방향 삼선 터치
4. 하단 5시 방향 설정 터치
5. '채팅방 이름' 터치
6. 작은 X 터치하여 지우고 방 이름 씀.
7. 1시 방향 확인 터치

단체 채팅방에 있는 사람 확인하는 방법

1. 채팅방 상단 1시 방향 줄 3개에서 확인

2. 물음표 있는 사람은 나와 카톡 친구가 아닙니다.

3. 옆에 '사람 모양에 더하기'를 터치하면 바로 친구가 됩니다.

4. 이름 안 보이고 기호, 이모티콘으로 보이는 이유는 내가 번호를 저장해 놓지 않은 상대방이 자신의 카톡 이름을 그렇게 저장을 해 놓았기 때문입니다.

단체 채팅방에 있는 사람 확인하는 방법

채팅방 상단 1시 방향 줄3개에서 채팅방에 있는 사람들을 확인합니다.

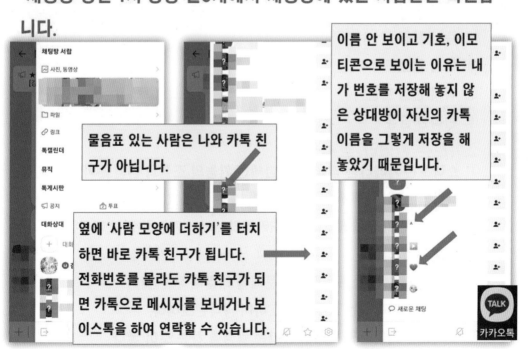

이름 안 보이고 기호, 이모티콘으로 보이는 이유는 내가 번호를 저장해 놓지 않은 상대방이 자신의 카톡 이름을 그렇게 저장을 해 놓았기 때문입니다.

물음표 있는 사람은 나와 카톡 친구가 아닙니다.

옆에 '사람 모양에 더하기'를 터치하면 바로 카톡 친구가 됩니다. 전화번호를 몰라도 카톡 친구가 되면 카톡으로 메시지를 보내거나 보이스톡을 하여 연락할 수 있습니다.

스마트폰 카메라
사진 촬영 기초

스마트폰 카메라의 특징

1) 스마트폰 카메라의 장점

① 상시 휴대

② 즉시 촬영

③ 즉시 업로드

④ 즉시 편집 보정

⑤ 편리한 공유

2) 스마트폰 카메라 앱 특징

① 스마트폰 카메라는 앱을 통해 섬세한 기능의 조절과 변형도 가능하다.

② 컬러의 조절, 흑백 촬영, 연속 촬영, 특수 렌즈 효과, 다중 노출, 파노라마 등 전문가용 카메라나 DSLR카메라에서나 가능한 기능 대부분 사용할 수 있다.

③ 그러나 이 앱은 소프트웨어로 문제를 해결해 주는 것이다.

④ 스마트폰 카메라는 모두 단렌즈이며 광각렌즈이다.

⑤ 스마트폰 카메라의 특성을 살리는 촬영을 하는 것이 좋다.

스마트폰 카메라/갤러리 버전 확인

- 스마트폰 카메라 앱 버전이 높을수록 다양한 최신 기술이 들어 있습니다.
- 갤러리는 사진을 보관하는 앨범의 역할도 하지만 편집 · 보정하는 '포토에 디터' 역할도 합니다.
- 갤러리 앱 버전이 높을수록 다양한 편집 기술이 들어 있습니다.

3) 카메라 앱 정보 확인
   ① 카메라 앱 실행 → 11시 방향 톱니바퀴(설정)
   ② 맨 아래쪽 카메라 앱 정보
   ③ 버전 확인

4) 갤러리 앱 정보 확인
   ① 갤러리 앱 실행 → 하단 5시 방향 삼선
   ② 설정 → 맨 밑에 갤러리 앱 정보
   ③ 버전 확인

스마트폰 카메라 기본 설정

- 장면별 최적 촬영, 촬영 구도 추천, QR코드 스캔 동영상 손떨림 보정, 자동 HDR, 대상 추적 AF, 수직/수평 안내선, 위치 태그(선택), 촬영 방법(음성 명령, 손바닥 내밀기)

스마트폰 카메라 촬영 기초

- 카메라 렌즈 위치 알기 : 후면 카메라(화질 좋음), 전면 카메라(셀카)
- 렌즈 깨끗이 하기 : 극세사, 면 등
- 올바른 촬영 자세 : 흔들리지 않도록 자세 유지, 삼각대 사용
- 수평 구도를 맞춘다.
- 기본 구도는 중앙, 이미지 속에 여백을 만들고 황금비율에 배치한다.
- 아웃포커스, 역광 사진
- 촬영할 이미지 크기 조절 : 줌(Zooming)
- 셔터를 살며시 누르기 : 가볍게 터치, 습기 약간 있으면 효과적
- 상황별, SNS용 사진 찍기 : 비율 확인(16:9, 9:16, 4:3, 1:1)
- 카메라 기본 설정 세팅

카메라

스마트폰 카메라 촬영 기초 : 용도별/상황별 사진 사이즈

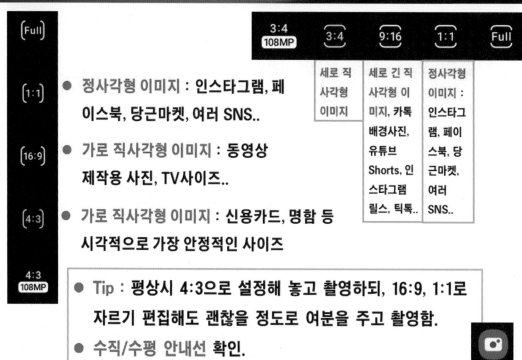

	3:4 108MP	3:4	9:16	1:1	Full
		세로 직사각형 이미지	세로 긴 직사각형 이미지, 카톡 배경사진, 유튜브 Shorts, 인스타그램 릴스, 틱톡..	정사각형 이미지 : 인스타그램, 페이스북, 당근마켓, 여러 SNS..	

- 정사각형 이미지 : 인스타그램, 페이스북, 당근마켓, 여러 SNS..
- 가로 직사각형 이미지 : 동영상 제작용 사진, TV사이즈..
- 가로 직사각형 이미지 : 신용카드, 명함 등 시각적으로 가장 안정적인 사이즈

- Tip : 평상시 4:3으로 설정해 놓고 촬영하되, 16:9, 1:1로 자르기 편집해도 괜찮을 정도로 여분을 주고 촬영함.
- 수직/수평 안내선 확인.

스마트폰 카메라 촬영 기초 : 용도별/상황별 사진 사이즈

동영상 편집 앱의 화면 비율 : 사진으로 동영상 만들 때 꼭 알아야 하는 화면 비율(사이즈)입니다.

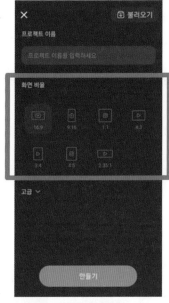

키네마스터

블로(VLLO)

파워디렉터

스마트폰 카메라 촬영 기초 : 용도별/상황별 사진 사이즈

4:3 (가로-원본)

4:3 (세로)

1:1(정사각)

1:1(직사각)

사진으로 동영상 만들기

카메라

스마트폰 카메라 촬영 기초 : 용도별/상황별 사진 사이즈

당근마켓 사진

수직/수평 안내선

화면 비율

● **Tip : 평상시 4:3으로 설정해 놓고 촬영하되, 16:9, 1:1 로 자르기 편집해도 괜찮을 정도로 여분을 주고 촬영함.**

스마트폰 카메라 촬영 기초 : 필터 사용하기

스마트폰 버전에 따라 '롤리'필터가 없을 수도 있습니다.

원본 사진   필터 적용 (롤리)

원본 사진

필터 적용 (롤리)

● **갤러리 → 하단 연필 모양 → 동그라미 세 개 겹친 모양이 필터입니다.**

스마트폰 카메라 촬영 기초 : 렌즈 눈높이

서서 찍었을 때　　　**앉아서 찍었을 때**　　　**눈높이에서 찍었을 때**

스마트폰 카메라 촬영 기초 : 가로/세로 프레임

Before

After

- Tip : 직사각형의 9:16으로 촬영해도, 인물을 정중앙에 배치하고 여분을 주고 촬영하면 16:9, 4:3, 1:1로 자르기 편집해도 괜찮음.

69

스마트폰 카메라 촬영 기초 : 적절한 빛 활용

- 빛 앞에 있는 사물을 찍으면 그림자가 생깁니다.
- 빛은 위, 아래, 왼쪽, 오른쪽 등 측면(반역광)에 있게 하여 그림자의 모습을 봅니다.
- 밖에 나가 자연광을 이용합니다. 없을 경우 조명을 적절히 사용합니다.

스마트폰 카메라 촬영 기초 : 셀카

- 카메라 설정 → 촬영 방법 → 손바닥 내밀기
- 얼굴 셀카인 경우 롤리 필터 적용하여 찍기
- 삼각대 이용 시 타이머 사용
- 화면이 아닌 전면 카메라 렌즈 보기
- 셔터를 길게 누르고 몸을 옆으로 움직이기

스마트폰 카메라 촬영 기초 : 그림자 지우기, 빛반사 지우기

● 갤러리에서 그림자 있는 사진 선택 → 하단 연필 모양 → 점3
개 → AI지우개 → 그림자 지우기 → 완료

그림자 지우기 가능
한 스마트폰 기종 →

● 갤럭시 One UI 4.0 이상 스마트폰
● 갤럭시S10 이후 모델, 노트10 이후 모델, Z시리즈 전 모델
● A52 등 A시리즈, M32 등 M시리즈 일부 모델 적용

카메라

스마트폰 카메라 촬영 기초 : 사진 인화 사이즈

● 인화지 사이즈 비율과 사진 비율이 다릅니다.

● 인화 사이즈는 1 : 1.5

● 사진 사이즈는 1:1, 4:3, 16:9, Full

● Tip : 평상시 4:3으로 설정해 놓고 촬영하되,
16:9, 1:1로 자르기 편집해도 괜찮을 정도로
여분을 주고 촬영함.

카메라

● 인화지 사이즈 비율과 스마트폰 사진 비율이 다릅니다.

- 스마트폰 카메라 비율 : 16:9
- 해상도 : 4032X2268
- 파일 크기 : 4.56MB

위 사진은 높은 해상도로 촬영했으나, 사진인화지에 맞지 않아 인화 시, 상하에 여백이 생기거나 좌우가 잘리게 되었음.

스마트폰 카메라 촬영 기초 : 사진 인화사이즈, 권장/최소 해상도

인화 크기(단위: 인치/센티)	권장 해상도 (단위:픽셀)	최소 해상도(단위:픽셀)
3.5" x 5"　(8.9cm x 12.7cm)	800 x 600(이상)	640 x 480(이상)
D4　(10.2cm x 13.5cm)	1024 x 768(이상)	800 x 600(이상)
4" x 6"　(10.2cm x 15.2cm)	1024 x 768(이상)	800 x 600(이상)
5" x 7"　(12.7cm x 17.8cm)	1280 x 960(이상)	1024 x 768(이상)
8" x 10"　(20.3cm x 25.4cm)	1600 x 1200(이상)	1280 x 960(이상)
A4　(21cm x 29.7cm)	2340 x 1654(이상)	1754 x 1240(이상)
10" x 15"　(25.4cm x 38.1cm)	3000 x 2000(이상)	2048 x 1536(이상)
16" x 20"　(40.6cm x 50.8cm)	2200 x 2800(이상)	1650 x 2100(이상)

스마트폰 카메라 촬영 기초 : 인물 촬영의 프레임

- 풀 샷(전신샷 Full shot)
- 니 샷(무릎샷 Knee shot)
- 미디엄 샷(허리샷 Medium shot, 웨이스트샷)
- 버스트 샷(가슴샷 Bust shot)
- 클로즈업(Close up)
- 빅 클로즈업(Big Close up)

클로즈업

바스트샷

미디엄샷

니샷

풀샷

스마트폰 카메라 촬영 기초 : 무음/찰칵 소리

- 스마트폰의 스피커를 손으로 꼭 막고 찍으면 '찰칵' 소리를 줄일 수 있습니다.
- 무음 카메라 : 안드로이드 11 업데이트 (2021.02.10), 후 보안정책이 강화됨에 따라 갤럭시 소리 끄기 기능이 지원 안 됩니다.
- 무음 유료 앱 사용 방법 : 원스토어 2,500원, '무음무음 for galaxy'
- Soda, Ulike, Foodie 등 앱을 사용해도 소리가 안 납니다.

갤러리 활용 및 사진 편집

사진 상세 정보, 해상도 보는 방법

- 갤러리에서 사진 선택
- 하단에 점 3개 → 상세정보

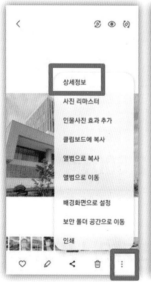

- 사진 찍은 날짜 : 2022년 9월 14일 오후 4:14
- 파일이름 : 20220914_161440.JPG
- 파일크기 : 2.93MB
- 해상도 : 4000*3000
- 저장위치 : 내장 메모리 /DCIM/Camera
- 사진 찍은 기기 : Samsung SM-N986N

갤러리에서 동영상만 모아 보는 방법

- 갤러리에서 하단에 줄 3개 → 동영상 → 동영상 선택 → 하단에 점 3개 → 상세 정보 → 파일 크기 확인
- 동영상 파일의 크기가 300MB 넘는 경우 카카오톡 전송 안 됨.

갤러리에서 동영상 만드는 방법

1. 갤러리 → 사진 → 오른쪽 점 3개

2. 만들기

3. 영화

4. 사진이나 영상 여러 개 선택

5. 하단에 영화 터치

6. 장면전환, 텍스트, 음악, 화면비율 설정하기

7. 저장

갤러리에서 사진 합치기, 콜라주 만드는 방법

1. 갤러리 → 사진 → 오른쪽 점 3개

2. 만들기

3. 콜라주

4. 사진 2개~6개 선택

5. 하단에 콜라주 터치

6. 하단에 콜라주 모양, 화면 비율, 선 색 설정하기

7. 상단에 저장

갤러리에서 움직이는 이미지, GIF 만드는 방법

1. 갤러리 → 사진 → 오른쪽 점 3개

2. 만들기

3. GIF

4. 사진 2개~6개 선택

5. 하단에 GIF 터치

6. 하단에 화면 비율, 속도, 스마일(그리기, 스티커, 모자이크 등) 설정하기

7. 상단에 저장

갤러리 사진 편집 및 보정

- 갤러리에서 사진 선택

- 하단에 연필 모양

자르기, 회전, 반전, 사이즈, 오리기 등

원본, 다양한 필터(롤리 필터 등)

라이트 밸런스, 밝기, 노출, 대비, 하이라이트, 그림자 등

그리기(펜, 모자이크, 지우개 등), 스티커(사진 위에 사진 넣기 등), 텍스트 등

포토 에디터 정보, AI지우개, 다른 파일로 저장 등

갤러리

갤러리 사진 편집 및 보정

- 갤러리에서 사진 선택

- 하단에 연필 모양

펜 모양/색상/굵기/투명도 선택, 사진에 자유롭게 표시하기, 글씨쓰기 등

모자이크하기

갤러리

77

갤러리 사진 편집 및 보정 : 모자이크

1. 갤러리 → 사진 선택
2. 하단 연필 모양 터치
3. 스마일 모양 터치
4. 모자이크 펜 두 번 터치
5. 모자이크 모양 선택
6. 닫기(X)
7. 지우고자 하는 부분을 문지름.
8. 저장

갤러리

갤러리 사진 편집 및 보정 : 사진 위에 사진 넣기

1. 갤러리 → 사진 선택
2. 하단 연필 모양 터치
3. 스마일 모양 터치
4. 스티커 터치
5. 오른쪽에 갤러리 모양 터치
6. 갤러리에서 사진 위에 올릴 사진 선택
7. 영역 자동 맞춤 또는 영역 직접 그리기
   (오려내고 싶은 영역 따라 손으로 그리기)
8. 완료
9. 위치/크기 조절
10. 상단에 저장

갤러리

사진 편집 – 뒷배경 지우기 Remove.bg 사용방법

사진 편집 –뒷배경 지우기 Remove.bg 사용방법

뒷배경 있는 사진과 없는 사진의 차이

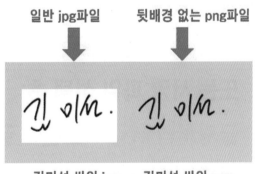

일반 jpg파일   뒷배경 없는 png파일

김미선 싸인.jpg   김미선 싸인.png

서명/도장 파일 만드는 방법

① 하얀 종이에 네임펜 등으로 자신의 서명을 쓰거나 도장을 찍는다. 서명은 선이 너무 얇지도 굵지도 않은 펜을 사용한다.

② 쓴 서명이나 찍은 도장을 카메라로 사진 찍는다.

③ 밝고 그늘 안 생기게 클로즈업하여 정사각형으로 꽉 차게 찍는다.

④ 확장자가 jpg인 파일이 만들어진다.

⑤ 스마트폰에서 remove.bg라는 앱을 사용하거나, PC에서 remove.bg라는 웹사이트에서 사용하여 배경 제거된 파일을 만든다. 확장자가 png인 파일이 만들어진다.

⑥ 만들어진 도장 파일, 서명 파일을 pc로 보낸다. 이메일 내게 쓰기를 사용하거나 카카오톡 pc버전, 클라우드 등을 활용한다.

⑦ pc에서 도장 파일, 서명 파일을 다운로드한다.

⑧ 다운로드 된 위치를 기억한다.

한글 문서에 서명·도장 파일 삽입 방법

1. 작성 중인 한글 문서의 서명 넣을 곳 클릭

2. 입력 → 그림→ 도장 파일 또는 서명 파일 선택 후 ' 글자처럼 취급 ' 또는 ' 글 뒤로 ' 에 체크

3. '넣기'한 후 사이즈를 적당히 조절한다.

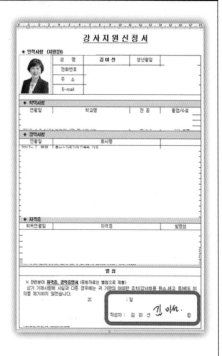

디지털 시대, 파일 확장자의 이해

파일명 뒤에 붙는 확장자로 해당 파일의 쓰임새를 구분할 수 있습니다.

사진 파일	
	• .Jpg : 사진파일
	• .png : 사진파일
	• .gif : 움직이는 사진파일
	• .bmp : 사진파일

미디어파일	
	• .mp3 : 음악파일
	• mp4 : 동영상파일
	• mpeg : 동영상 파일
	• .wmv : 동영상파일

문서 파일	
	• .pdf : 문서 파일
	• .ppt : 파워포인트 파일
	• hwp : 한글파일
	• .xls : 엑셀파일

기타 파일	
	• .txt : 메모장 파일
	• .csv : 구글 주소록 파일
	• .html : 웹 개발용 파일
	• .ttf : 폰트 파일

시대에 따른 소통 수단의 변화

구어 (말) ➡ 텍스트 (글자) ➡ 이미지 (사진) ➡ 영상 (동영상)

이미지 편집 보정 앱 종류

1. 이미지 편집 보정 앱 : PicsArt, PIXLR(앱과 웹에서 가능한 미니 포토샵), Snapseed 등

2. 뷰티 : SODA, SNOW, Ulike, B612 등

3. 음식 : Foodie 등

4. 야외 : 피크닉 등

네이버 앱 활용하기

컴퓨터로 인터넷 접속하는 웹 브라우저의 종류

- 브라우저 뜻 : 인터넷에서 정보 검색 등을 할 때 사용하는 프로그램을 말합니다.
- 컴퓨터에서 사용하는 웹 브라우저는 엣지, 크롬, 웨일 등이 있습니다.
- 인터넷 익스플로러는 2022년에 종료되었습니다. 프로그램 자체는 계속 사용할 수는 있지만 제조사인 마이크로소프트 사에서 정식 보안 업데이트를 제공하지 않아 계속 사용할 경우 보안상 문제가 생길 수 있다고 합니다.
- 따라서 앞으로 컴퓨터로 인터넷에 접속할 때는 엣지나 크롬, 웨일 등을 이용합니다.

인터넷 익스플로러	엣지	크롬	웨일
(마이크로소프트)	(마이크로소프트)	(구글)	(네이버)

익스플로러, 크롬, 사파리, 오페라, 파이어폭스 ← 컴퓨터 인터넷 접속 브라우저의 종류

스마트폰으로 인터넷 접속하는 앱 브라우저의 종류

- 스마트폰에서 사용하는 앱 브라우저는 네이버, 다음, 삼성 인터넷, 크롬, 구글 등이 있습니다.

  - 삼성 인터넷 : 스마트폰에 처음 설치되어 있는 인터넷 앱 브라우저입니다.

  - 네이버 앱 : 네이버에서 만든 인터넷 앱 브라우저입니다.
  - 네이버에서 제공하는 다양한 서비스를 이용할 수 있습니다.

  - 다음 앱 : 카카오에서 만든 인터넷 앱 브라우저입니다.
  - 카카오에서 제공하는 다양한 서비스를 이용할 수 있습니다. '다음'은 카카오가 인수하였습니다.

  - 구글 앱 : 구글에서 만든 인터넷 앱 브라우저입니다.
  - 구글에서 제공하는 다양한 서비스를 이용할 수 있습니다.

  - 크롬 앱 : 구글에서 만든 인터넷 앱 브라우저입니다.
  - 구글에서 제공하는 다양한 서비스를 이용할 수 있습니다.

나만의 네이버 홈커버 만드는 방법

- 네이버 홈커버 : 스마트폰 네이버 앱 홈 화면의 상단을 내가 찍은 사진이나 내가 좋아하는 사진으로 장식할 수 있습니다. 사진은 10장까지 추가, 삭제, 변경할 수 있습니다.
- 네이버 앱에서만 가능합니다. 삼성 인터넷, 다음, 구글 앱으로 네이버 들어오면 안 됩니다.

네이버 기본 홈 화면

내 사진으로 네이버 홈커버 만든 모습

1. 네이버 터치

2. 검색창 위 비어 있는 곳 길게 터치

3. 하단의 갤러리 사진 중에서 커버에 사용할 사진 터치

4. 홈커버 적용 터치

나만의 네이버 홈커버 만드는 방법

1. 네이버 터치
2. 검색창 위 비어 있는 곳 길게 누르기

3. 하단의 갤러리 사진 중에서 커버에 사용할 사진 터치
4. 홈커버 적용 터치

사진을 빼고 싶을 때는 빼기 표시를 터치하면 된다.

내 사진으로 네이버 홈커버 만든 모습

114없이 전화번호 찾는 방법

1. 네이버 터치

2. 검색창에 검색어 쓰고 자판의 돋보기 터치

3. '플레이스'에 있는 찾고자 하는 장소 터치

4. 전화 터치

114없이 전화번호 찾는 방법

1. 네이버 터치

2. 검색창에 검색어 쓰고 자판의 돋보기 터치

3. '플레이스' 에 있는 찾고 자 하는 장소 터치

4. 전화 터치

QRコード 스캐너 사용 방법 3가지

1. 스마트폰 상단 메뉴
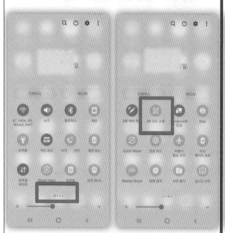

와이파이 또는 모바일 데이터 필요 없음.

2. 네이버 앱

3. 카카오톡

와이파이 또는 모바일 데이터 필요함.

일상 속의 다양한 QR코드

공기계 활용

**주민등록
등본 발급**

**서울시청
홈페이지**

**안드로이
드 버전**

**119안심콜
안내**

**119안심콜
등록**

**청와대
관람 예약**

**삼성 갤럭시
시리즈**

네이버 앱으로 간편하게 번역하기

- 네이버 그린닷 : 네이버 앱 하단의 동그라미를 말합니다.
- 인공지능을 활용한 여러가지 기능들이 있습니다.
- 파파고 앱 등 별도의 앱을 설치하지 않아도 쉽게 번역을 할 수 있습니다.

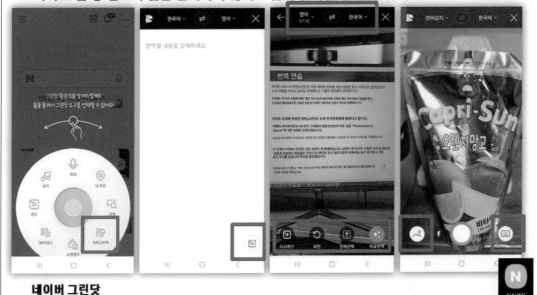

네이버 그린닷

번역 연습

K-pop superstars BTS returned home Friday after a weeklong trip to New York as special presidential envoys for future generations and culture, their label said.

During the week, the septet gave a speech at the opening of the Sustainable Development Goals Moment event at the 76th UN General Assembly, and joined President Moon Jae-in and first lady Kim Jung-sook during interviews and a visit to the Metropolitan Museum of Art.
BTS also dropped by the Korean Cultural Center in New York, according to Big Hit Music.

A highlight of the trip was a prerecorded performance of BTS' hit single "Permission to Dance" on the premises of the UN headquarters.

As of Friday morning, the video had racked up more than 16 million views on the UN's official YouTube channel.

This was the third time the group spoke at the UN. During the livestreamed speech, which more than 1 million people reportedly tuned in to, the members lauded young people for their resilience during the COVID-19 pandemic and promoted vaccines, saying all seven of them had received their shots.

Later Friday, the band is set to release a collaboration single with British rock band Coldplay titled "My Universe."

번역 연습

 **Life & Style** every. culture Travel fashion food and drink books Person foreign residence art &

December 27, 2022

'Need to industrialize K-food'

With the potential economic value of Korean food exceeding 100 trillion won, experts emphasize the necessity of industrialization of Korean food rather than globalization. At the…

December 25, 2022

[Near the hotel] Promotions and packages

Park Hyatt Busan has a variety of seafood, such as a festival publicity room, a variety of seafood, such as steaks, delicious. Hutton. d Eggs and caviar, grilled lobster tails, Australian…

December 24, 2022

[Template for table setting] Seasonal food from the land: Dongchimi

I'm professing that temple food is not just cooking, Mr. Ben Gye-ho said, "Cooking describes the process of food changing from nature to culture, and various techniques are applied to mak…

카메라 앱으로 번역하기

1. 카메라 앱에서 하단에 더보기

2. 상단에 빅스비 버전

3. 하단에 텍스트

4. 스마트폰을 글자(텍스트) 위에 비춘다.

5. 추출하고자 하는 텍스트 영역을 눌러서 선택한다.

6. 복사 또는 번역

*스마트폰 기종이나 안드로이드 버전에 따라 이 기능이 없는 스마트폰도 있습니다.

인터넷 검색 결과 보는 방법

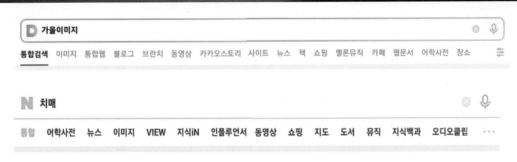

검색어에 따라 보여지는 화면이 다릅니다.

- **겨울 패딩** : **통합**, 쇼핑, VIEW, 이미지, 지식iN, 인플루언서, 동영상
- **가을 이미지** : **통합**, 이미지, VIEW, 지식iN, 인플루언서, 동영상
- **김미선 강사** : **통합** , VIEW, 이미지, 지식iN, 인플루언서, 동영상
- **치매** : **통합**, 어학사전, 뉴스, 이미지, VIEW, 인플루언서, 동영상

인터넷 검색 결과 보는 방법

인터넷에서 찾은 사진 다운로드하는 방법

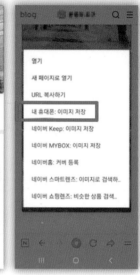

1. 네이버에서 '가을 이미지'검색

2. 마음에 드는 이미지 터치

3. 제목 부분 터치
4. 사진 위를 길게 누른다.

5. 내 휴대폰: 이미지 저장 터치
6. 뒤로

인터넷에서 찾은 사진 다운로드하는 방법

1. 네이버에서 '가을 이미지'검색

2. 마음에 드는 이미지 터치

3. 제목 부분 터치

4. 사진 위를 길게 누른다.

5. 내 휴대폰: 이미지 저장 터치

6. 뒤로

인터넷에서 찾은 사진 다운로드하는 방법

아래 QR코드를 스캔해 보세요.

**새해
이미지**

**새해
인사말**

**가을
이미지**

**크리스마스
이미지**

특별한 인사카드 만들기

- 글그램

'비호감형' 새해 인사

1	복사해서 붙이는 스팸 같은 인사	23.9%
2	단체 메시지로 대신하는 인사	13.1%
3	잔소리로 끝나는 훈화형 인사	9.8%

출처 : 잡코리아, 알바몬 설문 조사

추천하는 새해 인사말 1위는?

1	당신과 함께해서 행복했어요. 새해에도 함께 해요	26.7%
2	새해 복 많이 받으세요	12.8%
3	새해에는 꽃길만 걸으세요	11.5%
4	새해에는 뜻하는바 모두 이루세요	9.8%
5	지난 한 해 수고 많으셨습니다. 감사합니다	9.0%

출처 : 잡코리아, 알바몬 설문 조사

SNS인사 디지털 소음 공해, 스팸 안 되려면

보내는 사람의 이름을 써서 보냅니다.

연성체(1)

잉크립퀴드체(1)

꽃길(1)

안중근체(1)

호국체(2)

개미똥구멍(1)

SNS인사 디지털 소음 공해, 스팸 안 되려면

글씨체(폰트)에도 유행이 있습니다. 다음은 요즘 인기있는 글씨체입니다.

안중근체, 윤동주 별헤는 밤체, 훈민정음 주시경체, 호국체, 잉크립퀴드체, 주아체, 백범김구체, 미생체, 개미똥구멍체, 꽃길체, 연성체, 막걸리체, 나눔펜, 바위체, 순악필여사, 꽃집 막내딸, 그녀 김옥선, 근면성실

막걸리체

훈민정음 주시경(3)체

근면성실(1)체

특별한 인사카드 만들기 과정 안내

1. **카카오톡 QR코드로 강사와 친구 추가**

2. **강사 : 단체 카톡방 만들기**

3. **강사 : 카톡방에 수업 자료 사진 업로드**

4. **수강생 : 받은 사진을 갤러리에 저장**

5. **Play스토어에서 글그램 앱 다운로드**

6. **글그램으로 특별한 인사카드 만들기**

7. **갤러리에 저장하기**

8. **단체 카톡에 올리기**

Play스토어에서 앱 설치하는 방법

1. **Play스토어 열기**

2. **상단 줄 세 개 옆에 "앱 및 게임을 검색하세요" 터치**

3. **깜빡이는 곳에 찾고자 하는 앱 이름 쓰고, 자판의 돋보기 터치**

4. **원하는 앱 "설치" 터치**

5. **설치되면 "열기"터치**

6. **"허용" 터치**

사진에 글쓰기 앱 센스있게 사용하는 법

전문 디자이너가 아닌 일반인이 무난하게 만드는 방법

1. 자신의 이름을 넣어서 만든다.

2. 진한 배경 위에 흰색으로 쓰면 무난하다.

3. 긴 문장은 엔터를 쳐서 적절하게 배치한다.

4. 이름은 작게 쓰거나 어울리게 쓴다.

5. 배경 이미지와 비슷한 색깔과 비슷한 글씨체로 글자를 쓴다.

6. 비어있는 공간에 쓴다.

7. 너무 위쪽이나 아래쪽, 바깥쪽에 치우치지 않도록 쓴다.

8. 긴 직사각형 사진을 선택하지 않는다.

9. 오타 나지 않도록 한다.

사진에 글쓰기 – 글그램 사용순서 (전체)

1. '내 사진에 글쓰기'를 터치

2. 사진 선택한 후 →'사용자 지정' 터치

3. '1시 방향의 체크(✓) 표시' 터치

4. '터치하여 글자를 입력하세요' 부분을 터치

5. 쓰고자 하는 말을 쓰고 1시 방향에 체크 (✓) 표시를 터치

6. 글자를 꾸우욱~ 눌러 원하는 위치로 이동

7. 글씨 크기와 글씨체를 변경

8. 1시 방향에 '저장'을 터치

9. '스마트폰 저장'을 터치

10. '확인'을 터치

11. 뒤로 → 작업을 종료하시겠습니까?→ 네 홈 화면으로 이동합니다.
    또는 1시 방향에 집 모양 터치

사진에 글쓰기 - 글그램 사용순서 (1)

1. '내 사진에 글쓰기'를 터치

2. 사진 선택한 후 →'사용자 지정' 터치

3. '1시 방향의 체크(✓) 표시' 터치

4. '터치하여 글자를 입력하세요' 부분을 터치

5. 쓰고자 하는 말을 쓰고 1시 방향에 체크 (✓)
표시를 터치

6. 글자를 길게 눌러 원하는 위치로 이동

사진에 글쓰기 - 글그램 사용 순서 (2)

7. 글씨 크기와 글씨체, 글씨색을 변경

8. 1시 방향에 '저장'을 터치

9. '스마트폰 저장'을 터치

10. '확인'을 터치

11. 뒤로 → 작업을 종료하시겠습니까?→ 네
홈 화면으로 이동합니다 또는 1시 방향
집 모양(home) 터치

움직이는 글씨 이미지 만들기
- 글씨팡팡

저작권 없는 무료 사이트 이용 방법

- 저작권 없는 무료 사이트 : Unsplash(언스플래쉬), Pixabay(픽사베이) 등
- 글씨팡팡 : 사진에 글쓰기 → 배경 사진 다운 받기
- 글그램 : 아름다운 배경사진에 글쓰기

움직이는 글씨 만들기 - 글씨팡팡 사용순서 (전체)

1. '사진에 글쓰기'를 터치
2. 새 작업
3. 갤러리에서 불러오기 터치
4. 사진 선택
5. 상단에 깜빡거리는 연필 부분 터치
6. 터치하여 자판 올라오면 쓰고자 하는 말을 쓰고 자판 없애기 →
   크기, 위치 조절
7. 원터치 : 하얀 외곽선에 빨간색 글씨
8. 효과 : 개발새발
9. 애니 : 톱니바퀴 두 번째꺼, 풍선껌, 숫자:50
12. 저장 → 빨간색 화살표
13. 광고 보기 → X, 닫기 → 뒤로
14. 종료하시겠습니까? → 종료

글씨팡팡

움직이는 글씨 만들기 - 글씨팡팡 사용순서 (1)

1. '사진에 글쓰기'를 터치

2. 새 작업

3. 갤러리에서 불러오기 터치

4. 사진 선택

5. 상단에 깜빡거리는 연필 부분 터치

6. 터치하여 자판 올라오면 쓰고자 하는

말을 쓰고 자판 없애기→ 크기, 위치 조절

글씨팡팡

7. 원터치 : 하얀 외곽선에 빨간색 글씨

8. 효과 : 개발새발

9. 애니 : **톱니바퀴 두 번째꺼, 풍선껌, 숫자:50**

12. 저장 → 빨간색 화살표

13. 광고 보기 → X, 닫기 → 뒤로

14. 종료하시겠습니까? → 종료

1. '사진에 글쓰기'를 터치

2. 새 작업

3. 갤러리에서 불러오기 터치

4. 사진 선택

5. 상단에 깜빡거리는 연필 부분 터치

6. 터치하여 자판 올라오면 쓰고자 하는

말을 쓰고 자판 없애기→ 크기, 위치 조절

- 원터치, 글씨체, 정렬, 글씨 크기, 글씨색, 외곽선, 배경 등 다양한 메뉴가 있지만 먼저 아래 내용을 같이 연습합니다.

7. 글씨체 : 빙그레 싸만코B

8. 글씨 크기 조절

9. 효과 : 개발새발 밑에 첫 번째 꺼 터치

10. 애니 : 톱니바퀴 두 번째꺼, 흔들흔들, 숫자:50

11. 저장 → 빨간색 화살표

12. 광고 보기 → X 또는 닫기 →뒤로

13. 종료하시겠습니까? → 종료

교통 앱, 부동산 앱
이용 방법

지도/길 찾기 관련 앱 설치

Play스토어에서 아래의 앱을 설치해 주세요.

카카오택시 사용 방법 (카카오T 앱)

카카오택시 사용 방법 (카카오T 앱)

1. 카카오톡 T → 택시

2. 어디로 갈까요 터치 → 검색어 입력
   → 돋보기 터치

3. 검색 결과 옆 도착 터치

4. 확인 → 호출하기

5. 직접 결제 적용하기

6. 호출하기

네이버 앱으로 길 찾기 (네이버 지도 없음)

네이버 앱으로 길 찾기 (네이버 지도 사용)

도보

내비게이션 사용

네이버 지도 앱으로 길 찾기

내비게이션 사용

도보

실제 거리를 보면서 길 찾는 방법(거리 뷰)

- 지도 앱에서 거리뷰를 보면 스마트폰으로 실제 위치를 볼 수 있습니다.
- 손으로 거리뷰 화면을 밀어 주변을 탐색할 수 있습니다.

| 1. 검색어 입력
2. 거리뷰 모양 터치
3. 보이는 사진 터치 | • 실제 거리가 보인다.
• 손으로 화면을 밀어 주변을 살핀다. | 1. 검색어 입력
2. 거리뷰 모양 터치
3. 보이는 사진 터치 | • 실제 거리가 보인다.
• 손으로 화면을 밀어 주변을 살핀다. | • 거리뷰가 아닌 비행기 뷰도 볼 수 있다. |

다음 앱으로 길 찾기 (카카오맵 있음)

다음 앱으로 길 찾기 (카카오맵 있음)

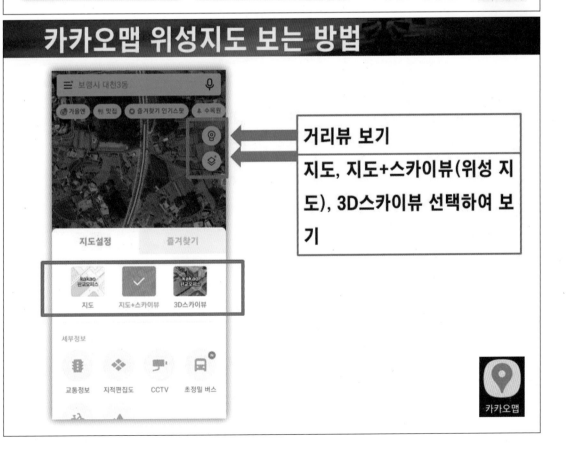

카카오맵 위성지도 보는 방법

거리뷰 보기

지도, 지도+스카이뷰(위성 지도), 3D스카이뷰 선택하여 보기

카카오맵

카카오톡으로 위치 정보 보내기

- 모임 장소를 카톡 방에 보낼 때 유용합니다.
- 자녀, 친구 등 만날 때 현재 내 위치 보낼 때 유용합니다.
- 타 지역에 가서 여기가 어딘지 잘 모를 때 현재 내 위치 보내기 할 때 유용합니다.

위치 정보를 받은 사람은 카카오맵으로 도보, 내비게이션 등을 이용할 수도 있고, 카카오T로 택시를 호출할 수도 있습니다.

카카오맵 거리 재기, 주소 보기(지번 찾기)

- 카카오맵 위에서 특정 지점을 길게 누르면 길찾기를 위한 출발, 경유, 도착 뿐만 아니라 거리 재기, 주소(지번) 알기, 공유하기 등을 할 수 있다.
- 주소(지번)를 알면 등기부등본을 열람할 수 있다.

알아두면 유용한 부동산 앱

부동산플래닛   KB부동산

호갱노노   아파트실거래가

네이버 부동산   토지이음

1. **부동산 플래닛** : 빅데이터 및 AI(인공지능)기반 전국 모든 건물, 사무실, 토지 실거래가 조회, 매물 정보, 상권, 지역별 가격 통계 등을 확인할 수 있다.
2. **KB부동산** : KB국민은행이 만든 부동산 플랫폼이다. 매물, 시세, 실거래가, 분양, 세금, AI예측 시세, 빌라 시세 등을 확인할 수 있다.
3. **호갱노노** : 국토교통부 아파트 실거래가와 시세, 아파트 정보를 지도에서 한눈에 볼 수 있다. 가장 많이 오른 아파트, 인기 아파트 등 아파트에 대한 모든 정보를 확인할 수 있다.
4. **아파트 실거래가(아실)** : 국토교통부 아파트 실거래가 확인하기 좋은 앱. 아파트 단지 정보, 매물 증감 APT, 최고가 APT, 거래 잘 되는 아파트, 거래량, 인기도, 월세 수익률, 대단지 아파트 등을 확인할 수 있다.
5. **네이버 부동산** : 한국 포털 1위인 네이버 밑에 있어서 부동산 정보량이 방대하다.
6. **토지이음** : 국토교통부에서 운영하는 토지이용 규제정보 서비스이다. 도시계획, 토지이용계획 열람 등을 할 수 있다.
7. **직방, 다방 등** : 원룸, 투룸, 오피스텔, 아파트 등의 부동산 매물을 찾아준다. 토지, 상가 등의 부동산보다는 월세, 전세, 자취방 구하기 등 방을 구할 때 좋다.
8. **디스코** : 부동산 실거래가가 수상할 때 실제 등기 완료된 실거래가를 확인할 수 있다.

부동산 정보 및 실거래가 보는 방법

 부동산 플래닛 : 관심 지역의 실거래가, 공시지가, 토지 면적, 용도 지역, 토지 정보, 소유정보 등 실거래 정보를 파악할 수 있다. AI 추정가는 로그인할 경우 볼 수 있다.

카카오톡 프로필
관리하기

카카오톡 프로필의 의미

- 카카오톡은 온라인으로 소통하는 공간입니다.
- 오프라인에서는 사람의 외모를 보고 10대인지 70대인지 등을 알 수 있습니다.
- 카카오톡 프로필을 보면 어떤 사람인지 대략 알 수 있습니다.
- 카카오톡 프로필은 상대방과 대화에 앞서 이용자의 정체성을 나타내는 공간입니다.
- 카카오톡 프로필 영역을 자신만의 개성으로 꾸밀 수 있습니다.
- 온라인으로 누가 나를 보는 것이 싫은 사람은 무난한 사진을 넣어 최소한의 표현만 해놓는 것도 좋습니다.

카카오톡 프로필 영역 설명

배경사진 : 직사각형

프로필사진 : 정사각형

- 나와의 채팅
- 프로필 편집
- 카카오스토리

카카오톡 프로필 영역 설명

음악 넣기

일정/D day 넣기

글자/문구 넣기

스티커 넣기

프로필 영역을 꾸미는 것은 프로필 편집에서 할 수 있습니다.

카카오톡 배경사진 바꾸는 방법

1. 카카오톡 → 친구 → 내 프로필

2. 하단 프로필 편집

3. 하단 7시 방향 카메라 모양 터치

4. 앨범에서 사진/동영상 선택 터치

5. 원하는 사진이나 동영상 터치

6. 상단 1시 방향 확인 터치

7. 1시 방향 완료 터치

카카오톡 프로필사진 바꾸는 방법

1. 카카오톡 → 친구 → 내 프로필

2. 하단 프로필 편집

3. 중간에 카메라 모양 터치

4. 앨범에서 사진/동영상 선택 터치

5. 원하는 사진 터치

6. 상단 1시 방향 확인 터치

7. 1시 방향 완료 터치

카카오톡 프로필 스티커 꾸미기

음악 넣기

세트 아이템 적용

스티커

배경 효과

D day

카카오톡 배경사진 무료 다운로드

1. 아작 앱 설치

2. 배경화면 다운로드

카카오톡 광고 차단 방법(채널 차단)

| 1. 카카오톡 → 친구
2. 채널 옆에 숫자 터치 | 3. 추가한 채널에서 차단하고자 하는 채널 길게 누르기 | 4. 차단 터치 | 5. 확인 터치 | 6. 확인 터치 |

카카오톡 광고 차단 방법(채널 차단)

1. 카카오톡 → 친구

2. 채널 옆에 숫자 터치

3. 추가한 채널에서 차단하고자 하는 채
   널 길게 누르기

4. 차단 터치

5. 확인 터치

6. 확인 터치

카카오톡 사다리 타기 하는 방법

1. 카카오톡
2. 단체채팅방 입장
3. 샵(#) 터치 후 사다리게임 쓰기

4. 사다리타기 터치

5. 직접 내기 입력 터치 후, 집안일 분담 터치

6. 집안일 더 쓰기
7. 공유하기 터치

7. 카톡방에서 전체결과 확인하기 터치

카카오톡 사다리 타기 하는 방법

1. **카카오톡 → 채팅**

2. **단체 채팅방 입장**

3. **글자 쓰는 곳 오른쪽에 샵(#) 터치 후 사다리게임 쓰기**

4. **나온 글자(사다리 게임, 사다리 타기) 터치**

5. **직접 내기 입력 터치 후 집안일 분담 터치**

6. **집안일 더 쓰기**

7. **공유하기**

8. **카톡방에서 전체 결과 확인하기**

카카오톡 투표하기 참여하는 방법

1. 카카오톡 → 채팅

2. 단체채팅방 입장

3. 올라온 투표에서 '투표하러 가기' 터치

4. 해당되는 곳 왼쪽 동그라미 터치

5. 투표하기 터치

6. 뒤로

카카오톡 투표하기 하는 방법

1. 카카오톡→채팅
2. 단체채팅방입장
3. 투표하러 가기
   터치

4. 왼쪽 동그라
   미에 해당되
   는 곳 터치

5. 투표하기

6. 뒤로

카카오톡 저장공간 확보하기(전체 설정)

- 카카오톡에서 주고받은 사진이나 동영상은 일정 기간이 지나면 볼 수 없습니다. 하지만 스마트폰 저장 공간에는 영향을 미칩니다. 따라서 필요한 사진이나 동영상은 갤러리에 저장하고 카카오톡에서는 삭제하는 게 좋습니다.

1. 카카오톡 → 1시 방향 설정
2. 전체 설정
3. 하단에 앱 관리
4. 저장 공간 관리
5. 캐시 데이터 삭제 → 모두 삭제
6. 음악 캐시 데이터 삭제
7. 인앱 브라우저 웹뷰 쿠키 삭제 → 모두 삭제

카카오톡 저장공간 확보하기(각 채팅방)

1. 카카오톡 → 채팅방 입장
2. 1시 방향 삼선
3. 5시 방향 설정
4. 아래쪽에 채팅방 용량 관리
5. 사진 파일 삭제 → 모두 삭제
6. 동영상 파일 삭제 → 모두 삭제
7. 뒤로

카카오톡 선물하기

시대에 따른 결제방식의 변화 (1)

1. 현금, 송금

2. 신용카드, 체크카드

3. 종이상품권

온누리상품권
백화점상품권
천안사랑상품권
농협상품권
대형마트상품권

시대에 따른 결제방식의 변화 (2)

4. 스마트폰 결제 : NFC

5. 바코드, QR코드 결제

온라인쇼핑, 금융 교육 시 사전 준비사항

☐ 내 명의의 스마트폰이다.

☐ 신분증(주민등록증, 운전면허증 등)이 준비되어 있다.

☐ 내 통장 계좌번호를 안다.

☐ 내 통장에 돈이 입금되면 보낸 사람이 누구인지 알 수 있다. : 뱅킹 앱 사용 가능 여부, 문자메시지로 입금 문자 오는지 여부

☐ 스마트폰으로 통신사 본인인증하는 방법을 안다.

☐ 신용카드가 준비되어 있다. : 무통장입금이 없어지는 추세임. 신용카드, 앱 카드, 체크카드, QR코드, 바코드 등 다양한 결제방식을 아는 것이 중요함.

☐ 네이버 아이디가 있다. : 네이버 ID로 여러 쇼핑몰 간편하게 가입할 수 있다. 네이버는 1인당 3개의 ID를 만들 수 있다.

☐ 와이파이가 있는 곳이다. : 휴대폰으로 쇼핑, 금융 등을 이용하려면 와이파이나 모바일 데이터를 사용해야 함. 본인의 데이터 요금제를 모르는 경우 와이파이가 있는 곳에서 진행.

본인 인증, 통신사 인증 시 유의사항

1. 본인의 통신사 알기 : SKT, LG 유플러스, KT, 알뜰폰인지 확인

2. 본인 명의 휴대폰인지 확인

3. 주소 제대로 알기 : 배송지 주소 검색창이 따로 뜸. 시민로 456(도로명 주소), 온천동 1626(지번 주소) 등 시군구 빼고 쓰면 편함.

4. 요구하는 생년월일 형식 알기 :
    OOOO.OO.OO→1960.06.29   OOOOOO→600629

5. 전화번호 형식 알기 :
    - 없이 번호만 쓰기 → 01022334455

휴대폰으로 통신사 본인 인증하는 방법

1. 본인 인증하기 터치

2. 본인의 통신사 터치

3. 전체 동의 터치

4. 문자(SMS)로 인증하기 터치

5. 이름, 주민등록번호 뒷자리 첫 번째까지, 휴대폰 번호, 보안 문자 입력하고 확인 터치

6. 문자메시지로 받은 인증번호(숫자 6자리) 입력

7. 인증 확인 터치

휴대폰으로 통신사 본인 인증하는 방법

1. 본인 인증하기
   터치

2. 본인의 통신사
   터치
3. 전체 동의 터치
4. 문자(SMS)로
   인증하기 터치

5. 이름, 주민등록
   번호 뒷자리 첫 번
   째까지, 휴대폰번
   호, 보안문자 입력
   하고 확인 터치

6. 문자메시지로
   받은 인증번호(숫
   자 6자리)입력
7. 인증확인

똑딱

온라인쇼핑 교육 사전 준비-네이버 회원 가입

네이버에 회원가입 후, 각 쇼핑몰에 네이버 아이디로 회원가입하면 편리합니다.

아래 화면은 네이버 아이디가 있는 경우, 현대홈쇼핑 앱을 설치하고 회원가입하는 방법

입니다.

1. 현대홈쇼핑 앱 로
   그인 화면에서 네이
   버 터치

2. 네이버로 회원가
   입 터치

2. 네이버 아이디 터
   치하거나 쓰기

3. 동의하기

카카오톡 선물하기 준비사항

- ✓ 카카오페이 가입해야 함.
- ✓ 통신사 인증할 줄 알아야 함.
- ✓ 본인의 시중 은행 계좌번호 알아야 함.
- ✓ 문자메시지나 뱅킹 접속으로 송금인 확인할 수 있어야 함.
- ✓ 카카오톡 간편 비밀번호(숫자6자리) 설정해야 함.
- ✓ 휴대폰결제 시 소액결제 차단 확인

카카오톡 인증서 발급받기

- 간편결제 비밀번호 : 숫자6자리
- 카카오인증서 비밀번호 : 영문+숫자+ 특수문자

카카오톡 인증서 사용처

1. 공동인증서/금융인증서
2. 민간인증서

카카오톡 인증서 사용처

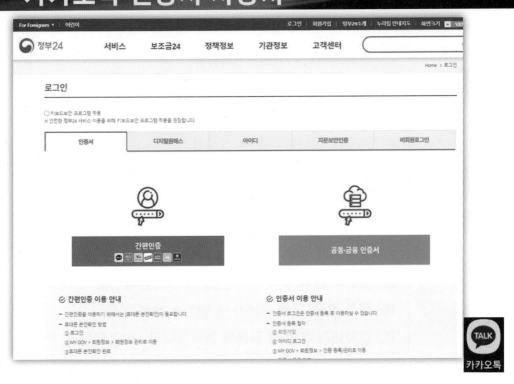

카카오톡 선물하기 절차(카카오페이)

선물 고르기

1. 카톡 → 더보기(하단 5시방향)
2. 선물하기 → 브랜드(상단)
3. 모바일 교환권 → 편의점 → CU
4. 빙그레)바나나우유 → 선물하기

배송지

5. 하단 선물하기 → 친구 선택 → 1시 방향 확인

돈 내기

6. 하단 결제하기 → 비밀번호 6자리 입력

카카오톡 선물하기 절차(휴대폰 결제)

휴대폰 소액결제 차단이 되어 있는지 먼저 확인한 후 진행합니다.

선물 고르기

1. 카톡 → 더보기(하단 5시방향)
2. 선물하기 → 브랜드(상단)
3. 모바일 교환권 → 편의점 → CU
4. 빙그레)바나나우유 → 선물하기

배송지

5. 하단 선물하기 → 친구 선택 → 1시 방향 확인
6. 선물하기(하단) → 수량 선택 → 선물하기
7. 결제수단 → 기타 결재 → 휴대폰 결제

돈 내기

8. 결제하기 → 전체 동의 → 다음
9. 통신사 선택 → 휴대폰 번호 → 주민등록번호 → 다음
10. 전화 받음(1566-3164) → 9번 → 전화 끊음
11. 결제내용 확인 및 진행에 동의합니다. → 결제하기

카카오톡 선물하기 순서(카카오페이)

1. 카카오톡 → 더보기(하단 5시방향)

2. 선물하기 → 브랜드(상단)

3. 모바일 교환권 → 편의점 → CU

4. 빙그레)바나나우유→ 선물하기

5. 하단 선물하기 → 친구 선택 → 1시 방
   향 확인

6. 하단 결제하기 → 비밀번호 6자리 입력

카카오톡 받은 선물 갤러리에 저장하는 방법

1. 카카오톡 → 하단 더보기

2. 선물하기 → 상단 선물함

3. 현재, 미사용 선물 몇 개가 있어요!

4. 선물 받은 거 터치

5. 교환권 저장 → 확인 → 확인

6. 메시지 카드&감동 카드 보내기

> 카카오톡을 열고 선물 받은 교환권을 사용하려 할 때
> 모바일 데이터나 와이파이가 없으면
> 카카오톡이 안 열릴 수가 있으니
> 교환권을 갤러리에 저장하여 사용하면 좋습니다.

카카오톡 받은 선물 사용하는 방법 (베이커리)

1. 파리바게뜨에 간다
2. 우리벌꿀 카스텔라를 집어 든다.
3. 카운터로 간다.
4. 스마트폰에서 갤러리 또는 카카오톡 선물함을 열고 카톡으로 받은 교환권을 직원에게 보여준다.
5. 직원이 바코드 스캐너로 내 스마트폰의 바코드를 찍으면 결제 끝.
6. 카스텔라를 들고 나온다.

카카오톡 받은 선물 사용하는 방법 (편의점)

1. GS25에 간다
2. 냉장고에 가서 바나나우유를 집어 든다.
3. 카운터로 간다.
4. 스마트폰에서 갤러리 또는 카카오톡 선물함을 열고 카톡으로 받은 교환권을 직원에게 보여준다.
5. 직원이 바코드 스캐너로 내 스마트폰의 바코드를 찍으면 결제 끝.
6. 바나나우유를 들고 나온다.

카카오톡 받은 선물 사용하는 방법(전화 주문)

1. 치킨집에 전화를 건다.
2. '쿠폰 사용할게요'라고 말한다.
3. 바코드 밑에 있는 번호를 불러 준다.
4. 배달 받을 주소를 말하거나 가지러 간다.

연락처 저장 위치

스마트폰 연락처 앱

- 스마트폰 연락처를 사용할 때 안드로이드폰 사용자들은 삼성에서 기본 제공하는 주황색 아이콘 모양의 '연락처'를 사용하는 것을 권장합니다. 초록색 전화기 앱에 있는 연락처가 아닙니다.

- 특히 SKT 이용자들이 사용하는 'T연락처'는 2020년 12월부로 종료되는 등 통신사의 사정에 따라 변동이 생기기도 하며, 개인적으로 통신사를 이동하기도 하기 때문에 기본 연락처를 사용하는 것이 좋습니다.

- 젊은 사람들이나 IT 기기가 익숙한 사람들은 아무 앱이나 사용해도 상관없습니다.

각 '연락처' 저장 위치의 종류와 특징

저장위치	설 명
삼성 계정	삼성 계정에 연락처를 저장하려면 삼성 계정 회원가입을 해야 한다. 삼성 계정에 회원가입을 하면 유용하고 편리한 점이 많이 있지만 스마트폰 기초 단계에서는 학습자들이 복잡하다고 느낄 수 있다. 어르신들의 경우 회원가입하기가 어렵기도 하거니와 회원가입 후 사용하기까지 많은 단계를 거쳐야 한다. 다른 회사 스마트폰으로 교체했을 경우 또다시 복잡하다고 생각할 수 있다.
휴대전화	가장 많이 사용하는 방식으로 말 그대로 휴대전화 기계 자체에 연락처를 저장하는 것이다. 편리하긴 하지만 휴대전화를 분실, 파손, 침수, 액정이 깨졌을 경우 연락처 복구가 어렵다.
SIM 카드	휴대전화 속에 들어있는 손톱만 한 칩(SIM카드)에 저장하는 방식이다. SIM 카드는 이동통신사에 따라 다르며 SIM 카드가 없으면 통화나 문자메시지 등 대부분의 휴대전화 서비스를 이용할 수 없다. 이동통신사를 변경했을 경우 SIM 카드에 저장된 연락처를 사용하기가 불편하다. 휴대전화를 분실했을 경우나 SIM 카드를 파손, 침수되었을 경우 연락처 복구가 어렵다.
구글 계정	구글 계정에 연락처를 저장하는 것은 온라인상에 저장을 해놓는 것이다. 따라서 구글 계정만 알면 스마트폰 교체 후에 구글 계정에 로그인하여 저장된 연락처를 새 스마트폰에서 볼 수 있다. 안드로이드 스마트폰을 가진 사람 중에 구글 계정이 없는 사람은 없다. 구글 계정이 없으면 휴대폰 개통부터 난감하기 때문이다. 새 휴대폰을 샀을 경우에 기존 구글 계정으로 가입, 로그인하면 이전 휴대폰에 있던 사진, 연락처 등을 계속 볼 수 있다.

현재 내'연락처'저장 위치 확인하는 방법

1. 연락처
2. 왼쪽 삼선
3. 모든 연락처
4. 어디에 몇 개의
   연락처가 저장되
   어 있는지 확인

온라인 가상공간(클라우드)에 대한 이해

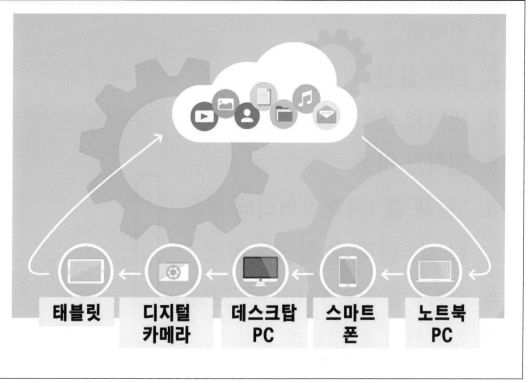

온라인 가상공간(클라우드)에 대한 이해

윤여정, kt 클라우드 광고
출처 : https://www.youtube.com/watch?v=28rMlrn7goU

스마트폰에 저장된 연락처를 구글 계정으로 이동하는 방법

1. 연락처

2. 왼쪽 삼선

3. 연락처 관리

4. 연락처 이동

5. 3단계 중 1단계 : 어디에 저장
   된 것? 선택 후 하단에 완료

6. 3단계 중 2단계 :어디로 보낼
   것? 선택 후 하단에 이동

연락처 동기화 하는 방법

1. 연락처 → 왼쪽 삼선 →

2. 연락처 관리 →

3. 연락처 동기화 : 구글 계정

4. 하단에 '동기화' 터치

5. 뒤로

연락처

갤러리 사진을
온라인 가상공간에
백업 저장하기

129

스마트폰 사진 온라인 공간에 저장하는 방법

1. 포토 : **동기화**

2. 네이버 MYBOX

3. 구글 드라이브

4. 카카오톡 → **나와의 채팅**

5. 이메일 : **이메일 내게 쓰기**

6. 밴드 : **1인 밴드, 가족 밴드, 모임 밴드**

7. 블로그 : **비공개 글쓰기**

구글 폴더에 포토 앱 추가하기

스마트폰 사진 구글 포토에 백업 저장 설정

- 스마트폰을 구입할 때 지난번 스마트폰에서 사용하던 구글 계정으로 가입합니다. 스마트폰을 처음 사면 가장 먼저 '포토'앱을 동기화 해놓습니다.
- '포토'앱은 구글에서 15기가 바이트까지 무료로 제공하기 때문에 필요 없는 사진은 자주 삭제하여 저장 공간 관리를 합니다.
- 갤러리에서 사진을 삭제한다고 해서 포토의 사진이 삭제되는 것은 아닙니다.

1. 포토 → 1시 방향 동그라미
2. 포토 설정
3. 백업 및 동기화
4. 업로드 크기 : 저장용량 절약(약간 낮은 화질)

간편 동영상 만들기
(Scoompa 스쿰파)

스마트폰 영상 편집 앱의 종류와 특징

1. 키네마스터 : 무료, 169,000원($119.99)/년

2. 파워디렉터 : 무료, 39,000원/년

3. VLLO(블로) : 무료, 11,000원/년, 34,900/평생

4. Scoompa(스쿰파) : 무료, 14,000원/년

5. Capcut(캡컷)

6. VITA(비타)

7. BeatSync(비트싱크)

8. VivaVideo(비바비디오)

9. QuiK : 정사각 동영상 간단 제작

동영상 만들기 과정 안내

1. 카카오톡 QR코드로 강사와 친구 추가

2. 강사 : 단체 카톡방 만들기

3. 강사 : 카톡방에 수업 자료 사진 업로드

4. 수강생 : 받은 사진을 갤러리에 저장

5. Play스토어에서 스쿰파 앱 다운로드

6. 스쿰파로 동영상 만들기

7. 갤러리에 저장하기

8. 단체 카톡에 올리기

스쿰파 앱으로 간편 동영상 만들기

1. **Play**스토어에서 Scoompa **앱 설치**
2. 하단의 더하기 **모양 터치**
3. **사진 선택→ 하단의 체크**

스쿰파 앱으로 간편 동영상 만들기

1. 하단의 더하기 **모양 터치**
2. **1시 방향 갤러리 모양 터치**
3. **장치 갤러리 터치**
4. **갤러리 터치**
5. **원하는 사진 선택 → 1시 방향 완료**
6. **하단 5시 방향의 체크**

제작한 동영상 저장하는 방법 : 공유 → 갤러리에 저장

연말 인사 영상 만들기
(슬라이드 메시지)

슬라이드 메시지로 연말 인사 영상 만들기

1. Play스토어에서 슬라이드 메시지 앱 다운로드
2. 카카오톡에서 자료 사진 다운로드(강사 업로드)
3. 텍스트(글자) 복사(강사 업로드)

슬라이드 메시지로 연말 인사 영상 만들기 순서 (1)

- 더하기 모양 터치
- 상단 모든 사진들 → Kakao Talk 폴더 → 사진 선택
- 편지 : 꾸욱 눌러 붙여넣기하고, 이름 쓰고 1시 방향 체크
- 하단에 초록색 체크
- 음악 : 메리 크리스마스 → We Wish you a Merry Christmas → 사용하기
- 하단에 초록색 체크

슬라이드 메시지로 연말 인사 영상 만들기 순서 (2)

- 시간 : 설정시간 → 30초
- 하단에 초록색 체크
- 화면전환 : Pop → 음악시간
- 하단에 초록색 체크
- ▷ 플레이
- 1시 방향 체크
- 홈으로 이동
- 광고 보기

키오스크 연습하기

스마트폰으로 키오스크 연습하는 방법

- Play스토어에서 '에프엔제이 키오스크'앱을 설치합니다.
- 쿠폰 및 모바일 상품권 또는 현금 결제는 카운터에서만 사용하는 곳이 있으니 키오스크 화면을 잘 읽어야 합니다.

1. 카페 → 미션 1 터치하고, 요구사항 메모해 놓고 학습하기 터치
2. '주문하시려면 터치하세요' 터치
3. 매장 이용, 테이크 아웃 선택 후 터치
4. 요구사항에 맞게 터치 후 확인 → 주문하기
5. 결제하기 터치
6. Kiosk 메인으로 돌아가기

에프엔제이
키오스크

스마트폰으로 키오스크 연습하는 방법

- '에프엔제이 키오스크'앱에서 카페 주문 연습입니다.

1. 카페 → 미션 1
터치하고, 요구사항
메모해 놓고 학습하
기 터치

2. '주문하시려면 터
치하세요' 터치

3. 매장 이용, 테이크
아웃 선택 후 터치

에프엔제이
키오스크

4. 요구사항에 맞게
터치 후 확인 → 주
문하기
5. 결제하기 터치
6. Kiosk 메인으로
돌아가기

스마트폰으로 키오스크 연습하는 방법

- '에프엔제이 키오스크'앱에서 카페 주문 연습입니다.

미션 확인   홈으로 돌아가기

- **휘핑 크림** : 커피나 케이크, 빵
위에 올리는 크림

- **샷 추가** : 커피를 진하게 먹고
싶을 때
- **시나몬** : 커피, 빵, 케이크 등 위
에 올리는 계피가루

- **시럽** : 걸쭉한 설탕물
- **Small** : 작은 사이즈
- **Medium** : 중간 사이즈
- **Large** : 큰 사이즈

에프엔제이
키오스크

스마트폰으로 키오스크 연습하는 방법

- '에프엔제이 키오스크'앱에서 패스트푸트 주문 연습입니다.

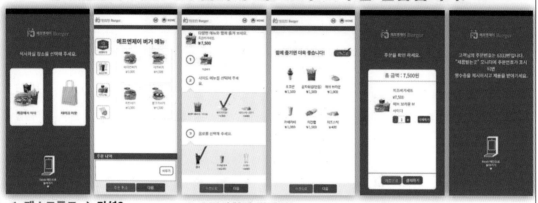

1. 패스트푸드 → 미션2 터치하고, 요구사항 메모 해 놓고 학습하기 터치

2. '주문하시려면 터치하세요' 터치

3. 매장 이용, 테이크 아웃 선택 후 터치

4. 요구사항에 맞게 터치 후 확인 → 주문하기

5. 결제하기 터치

6. Kiosk 메인으로 돌아가기

보이스피싱 예방 방법

디지털 금융 사기란?

1. "전기통신금융사기"란 전기통신을 이용하여 타인을 기망(欺罔)·공갈(恐喝) 함으로써 재산상의 이익을 취하거나 제3자에게 재산상의 이익을 취하게 하는 행위를 말합니다. 다만, 재화의 공급 또는 용역의 제공 등을 가장한 행위는 제외하되, 대출의 제공·알선·중개를 가장한 행위는 포함됩니다(「전기통신 금융 사기 피해 방지 및 피해금 환급에 관한 특별법」 제2조제2호).

· 자금을 송금·이체하도록 하는 행위
· 개인정보를 알아내어 자금을 송금·이체하는 행위

디지털 금융 사기의 종류

1. 피싱

- 보이스 피싱
- 메신저 피싱
- 피싱사이트
- 몸캠 피싱
- 로맨스 스캠

2. 스미싱

3. 파밍

4. 메모리해킹

피싱이란?

피싱 뜻 : 개인정보(Private data)와 낚시(Fishing)의 합성어

① **금융기관을 가장한 이메일 발송 →**

② **이메일에서 안내하는 인터넷 주소 클릭 →**

③ **가짜 은행 사이트로 접속 유도 →**

④ **보안카드 번호 전부 입력 요구 →**

⑤ **금융 정보 탈취 →**

⑥ **범행계좌로 이체**

피싱(Phishing)의 유형

구분	내용
보이스피싱	유선전화 발신번호를 수사기관 등으로 조작하여 해당기관을 사칭하면서 금품을 편취하거나 자녀납치, 사고빙자 등 이용자 환경의 약점을 노려 금품을 편취하는 수법
메신저피싱	SNS, 모바일(또는 PC) 기반 메신저 등 신규인터넷 서비스의 친구추가 기능을 악용하여 친구나 지인의 계정으로 접속한 후 금전 차용 등을 요구하는 수법
피싱사이트	불특정 다수에게 문자, 이메일 등을 보내 정상 홈페이지와 유사한 가짜 홈페이지로 접속을 유도하여 개인정보 및 금융정보를 편취하는 수법
몸캠 피싱	스카이프 등 스마트폰 채팅 어플을 통해 음란 화상 채팅(몸캠피싱)을 하자고 접근하여 상대방의 음란한 행위를 녹화한 후 피해자의 스마트폰에 악성코드를 심어 피해자 지인의 연락처를 탈취한 다음 지인들에게 녹화해둔 영상(사진)을 유포하겠다고 협박하여 금전을 갈취하는 범죄 수법
스피어 피싱	고위 공직자, 유명인 등 특정 개인 및 회사를 대상으로 개인정보를 캐내거나 특정 정보 탈취 목적으로 하는 피싱 공격하는 수법
큐싱	출처가 불분명한 'QR코드'를 스마트폰으로 찍을 경우, 악성 앱을 내려 받도록 유도하거나 악성프로그램을 설치하게 하는 금융사기 수법 -QR코드 + phishing의 합성어로, 스미싱에서 한 단계 더 진화된 신종 금융사기 수법
로맨스스캠	SNS 및 이메일 등 온라인상으로 접근하여 호감을 표시한 뒤 재력, 외모 등으로 신뢰를 형성한 후 각종 이유로 금전을 요구하는 방법의 사기

스미싱이란?

스미싱 뜻 : 문자메시지(SMS)와 피싱(Phishing)의 합성어로 악성 앱 주소가 포함된 휴대폰 문자메시지를 대량 전송 후, 이용자가 악성 앱을 설치하도록 유도하는 공격

① '무료 쿠폰 제공', '돌잔치 초대장', '모바일 청첩장' 등을 내용으로 하는 문자메시지 내 인터넷주소(링크) 터치하면 →

② 나도 모르게 악성코드가 스마트폰에 설치되어 →

③ 피해자가 모르는 사이에 소액결제 피해 발생 또는 개인·금융 정보 탈취

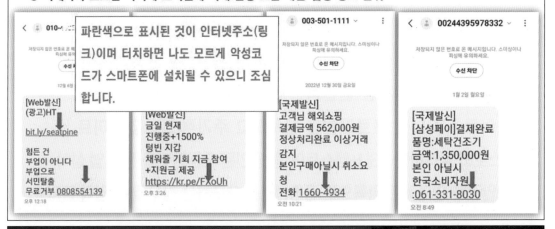

모르는 번호 문자메시지 차단 방법

1. 문자메시지 터치

2. 모르는 번호(차단할 번호) 터치

3. 상단에 수신차단 터치

4. 대화삭제에 체크

5. 수신차단 터치

6. 뒤로

스미싱 예방법

1. 출처가 확인되지 않은 문자메시지의 인터넷 주소를 클릭 금지
2. ※ 지인에게서 온 문자메시지라도 인터넷 주소가 포함된 경우 클릭 전에 전화 확인
3. 미확인 앱이 함부로 설치되지 않도록 스마트폰의 보안 설정 강화 (스마트폰 보안 설정 강화방법 : 환경설정 〉 보안 〉 디바이스 관리 〉 '알 수 없는 출처'에 V체크가 되어 있다면 해제)
4. 이동통신사 고객센터에 전화하거나 이동통신사 인터넷 홈페이지를 이용하여 소액결제를 원천적으로 차단하거나 결제금액 제한
5. 스마트폰용 백신 프로그램을 설치하고 주기적으로 업데이트
6. T스토어·올레마켓·LGU+앱스토어 등 공인된 오픈마켓을 통해 앱 설치
7. 보안강화·업데이트 명목으로 금융정보를 요구하는 경우 절대 입력 금지

스미싱 예방법

경찰청 사이버캅 앱

1. 스마트폰 Play스토어 또는 앱스토어에서 "경찰청 사이버캅" 앱 설치
2. 의심스러운 문자 수신 시 URL 클릭 후 연결 프로그램을 〈경찰청 사이버캅〉으로 선택합니다.
3. 앱 실행하여 URL에 대한 검사 진행
4. 해당 URL이 비정상적일 경우 경고 메시지가 뜸.
   → 설치 안 함 선택하여 차단

Play 스토어

사이버캅

보이스피싱 예방을 위한 5가지 주의사항

1. 경찰, 금융감독원이라며 송금을 요구하면 **무조건 거절**

2. 카카오톡, 문자를 통해 송금을 부탁하면 전화 통화로 확인 전까지 **무조건 거절**

3. 신용등급 상향, 저금리 전환, 대출 수수료 명목으로 송금을 요구하면 **무조건 거절**

4. 출처 불분명한 앱, URL, 주소는 **무조건 클릭 금지**

5. 사용하지 않은 결제 문자는 업체가 아닌 해당 카드사에서 확인

보이스피싱 등 디지털 금융 사기 당했을 때

피싱 피해 구제

① 경찰서(신고전화 112)나 금융감독원(민원 상담 1332)을 통해 지급정지 요청
② 피싱 피해 내용을 신고하여 '사건사고 사실확인원'을 발급
③ 해당 은행에 제출하여 피해금 환급 신청

파밍 피해 구제

① 경찰서(신고전화 112)나 금융감독원(민원 상담 1332)을 통해 지급정지 요청
② 파밍 피해 내용을 신고하여 '사건사고 사실확인원'을 발급
③ 해당 은행에 제출하여 피해금 환급 신청

스미싱 피해 구제

경찰서(신고전화 112)에 스미싱 피해 내용을 신고하여 '사건사고 사실확인원'을 발급받아 이동통신사, 게임사, 결제대행사 등 관련 사업자에 제출

보이스피싱 예방 방법

보이스피싱 사기 사례 영상

보이스피싱 현금 수거책 알바 1:55~

https://www.youtube.com/watch?v=_sJBAWcrRaU&t=775s

33:27~35:32 엄마 핸드폰 고장났어

카톡 사기, 카톡 보이스피싱 블로그

https://blog.naver.com/najal72/221820900298

https://youtu.be/xYeDJYc8mgQ 보이스피싱 일부러 낚여 봄.

https://youtu.be/cAD7bEqz5U0 보이스피싱 범인 실제 목소리

https://youtu.be/petgrul9Zsg 낚이지 않을 자신 있으신가요?

https://youtu.be/FOvEpnoBmzU 자녀 납치 범인 실제 목소리

https://youtu.be/GrFgC4S4L8c 보이스피싱 실제 통화내용

https://youtu.be/GrFgC4S4L8c 서울중앙지검 사칭 실제녹취

스마트워크 1.

스마트폰 팩스 앱 – 모바일팩스 설명

- Play스토어에서 '모바일팩스'앱을 설치합니다.
- 보험회사, 관공서 등 꼭 팩스를 사용하야 할 때 편리합니다.

● 회사 : SK텔링크

● MMS를 이용하여 FAX 발송, MMS 요금 부과

● 팩스 번호 부여받음.

● 팩스 수신, 발신 모두 가능

● 사진 촬영 시 4:3 비율로 촬영

● FAX 발송 옵션 : 문서사진

● 모바일팩스 앱 설치 시 연락처에 내 모바일팩스

번호 저장

스마트폰으로 팩스 보내는 방법

○○○ **강사 팩스 번호 :**

050-○○○○-

○○○○

모바일팩스 보낼 때 주의사항

모바일팩스로 전송할 때 약간의 시간이 걸린다. 상단의 발송내역을 눌러 발송 완료, 실패, 결번, 통화 중 등 제대로 발송이 되었는지 확인해야 합니다.

내 모바일 팩스번호 확인 방법

상단 중앙에 '이벤트
&생활혜택'과 '더보
기'가 일정 시간 간격
으로 번갈아 보입니다.
'더보기'가 보일 때
터치하면 하단에 내
모바일 팩스번호를
볼 수 있습니다.

모바일 팩스

스마트폰으로 스캔하는 방법

- **스캔 뜻** : 스캔이란 스캐너(스캔하는 장치)를 이용하여 문서나 사진을 pc에 저장할 수 있는 파일로 만드는 것입니다.
- 책, 서류 등 글자(텍스트)가 들어간 문서를 찍을 때 카메라로 찍는 것보다 스캔을 하면 더 선명하게 볼 수 있습니다.

스마트폰 카메라로 찍은 책	스마트폰 스캐너로 스캔한 책

vFlat

스마트폰으로 스캔하는 방법

브이플랫 앱

스마트폰으로 스캔하는 방법 (기기별 스캔 비교)

파일 크기 : 1.86MB

이미지 ID
사진 크기	2480 x 3507
너비	2480픽셀
높이	3507픽셀
수평 해상도	300 DPI
수직 해상도	300 DPI

파일 크기 : 1.14MB

파일 크기 : 497KB

이미지 ID
사진 크기	2138 x 3048
너비	2138픽셀
높이	3048픽셀
수평 해상도	96 DPI
수직 해상도	96 DPI

스마트폰으로 화상회의 줌(Zoom) 참여하는 방법

1. 줌(Zoom) : 비대면 화상 회의, 교육에 참여할 수 있는 프로그램(앱)입니다.

2. 참여 환경 : 컴퓨터, 스마트폰, 태블릿 등으로 참여할 수 있으며, 와이파이 또는 모바일 데이터가 있어야 합니다.

3. 스마트폰 : 앱만 설치하면 바로 참여할 수 있습니다.

4. 컴퓨터 : 마이크, 스피커, 웹캠이 있어야 합니다.

5. 회원가입 없이도 참여할 수 있으며, 회원가입을 할 때는 구글 계정으로 가입하면 편리합니다.

스마트폰으로 화상회의 줌(Zoom) 참여하는 방법

1. **앱 설치 → 회의 참가**

2. **회의 ID : 호스트에게 받은 아이디 씀.**

3. **스마트폰 기종이 있는 곳을 지우고 자기 이름으로 바꿈.**

4. **참가**

5. **회의 암호 입력 → 확인**

6. **참가자가 기록 중입니다 → 확인**

7. **하단 7시 방향 오디오 연결 → WiFi 또는 휴대전화데이터 터치**

❖ 소리 켜고 끌 때 : 화면 터치하여 하단에 메뉴 보이게 하여 음소거/음소거 해제.

❖ 비디오 켜고 끌 때 : 화면 터치하여 하단에 비디오 시작/비디오 중지 터치

스마트폰으로 화상회의 줌(Zoom) 참여하는 방법

1. 앱 설치 → 회의 참가

2. 회의 ID : 호스트에게 받은 아이디 씀.

3. 스마트폰 기종이 있는 곳을 지우고 자기 이름으로 바꿈.

4. 참가

5. 회의 암호 입력 → 확인

6. 참가자가 기록중입니다 → 확인

7. 하단 7시 방향 오디오 연결 → WiFi 또는 휴대전화데이터 터치

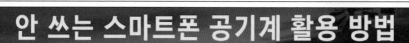

Zoom

안 쓰는 스마트폰 공기계 활용 방법

- 스마트폰 공기계란 스마트폰 속에 유심(USIM)이 들어있지 않은 스마트폰을 말합니다.

- 2G망을 이용하는 폴더폰은 해당되지 않고, 모바일 데이터나 와이파이로 인터넷 접속이 가능한 스마트폰을 말합니다.

- 스마트폰 유심에는 전화를 걸고 받거나 문자메시지, 모바일 데이터 등을 이용할 수 있는 통신 기능이 들어가 있습니다.

- 따라서 유심을 스마트폰에 꽂아 개통을 하면 해당 통신사의 통신선을 이용하는 것이고 그에 따른 통신요금을 내며 사용하는 것입니다.

- 그래서 새 스마트폰을 사면 헌 스마트폰 속의 유심을 빼 버리고 새 스마트폰에 유심을 꽂아 개통하여 사용하는 것입니다.

- 스마트폰 유심에는 통신뿐만 아니라 모바일뱅킹, 신용카드 기능의 금융 기능이나 태블릿PC에 데이터를 공유할 수 있는 기능도 있고 근거리 데이터 전송을 위한 NFC 기능도 들어 있습니다.

안 쓰는 스마트폰 공기계 활용 방법

1. ZOOM 비대면 교육 참여

2. 음악 듣기

3. 영화 보기

4. 시계, 녹음기, 계산기, 달력 사용하기

5. 카메라 사용하기

6. 인터넷 검색, 뉴스 보기

7. SNS하기, 이메일 사용하기

8. 사전, 통·번역기 사용하기

9. 탁상시계, 디지털 액자 사용하기

10. 게임하기

11. Smart View : 휴대폰 화면을 TV로 보기

안 쓰는 스마트폰 공기계 활용 방법

와이파이와 모바일 데이터를 사용하지 않는 앱

와이파이와 모바일 데이터를 사용하는 앱

카카오톡 메시지 보내는 방법

카카오톡 이모티콘 보내는 방법

1. 카카오톡 → 채팅방 입장

2. 키보드 입력 부분 옆에 스마일 모양 터치

3. 원하는 이모티콘 터치

4. 전송

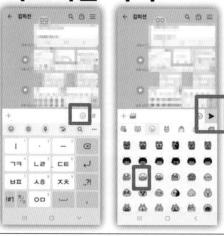

카카오톡으로 사진/동영상 보내는 방법

1. 카카오톡 → 채팅방 입장→ 키보드 입력 부분 오른쪽에 더하기 모양 터치

2. 앨범

3. 전체

4. 전송할 사진 또는 동영상 터치

5. 상단에 전송 터치

카카오톡으로 사진/동영상 보내는 방법

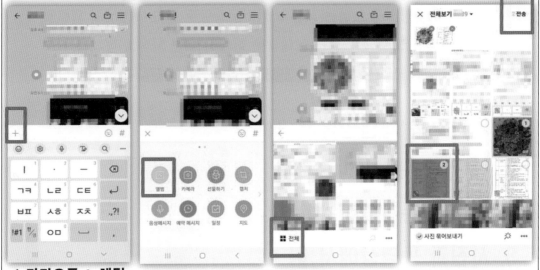

1. 카카오톡 → 채팅 방 입장 → 자판 입 력 부분 오른쪽에 더하기 모양 터치

2. 앨범

3. 전체

4. 전송할 사진 또 는 동영상 터치

5. 상단에 전송 터치

카카오톡 사진 묶어보내기 하는 방법

1. 카카오톡 → 채팅방 입장

2. 키보드 입력 부분 오른쪽에 더하기 모양 터치

3. 앨범 → 하단에 전체 터치

4. 전송할 사진 2장 이상 터치하여 선택

5. 하단에 사진 묶어보내기 체크

6. 상단에 전송 터치

7. 뒤로

카카오톡 원본 사진 보내는 방법

- 내 폰에서 선명하게 보이는 사진이 카카오톡으로 전송 과정에서 일반화 질이나 저용량으로 전송되면 상대방은 화질이 흐린 사진을 봅니다.
- 그럴 때 원본 사진으로 보내면 상대방도 화질이 좋은 사진을 볼 수 있습니다.

1. 카카오톡 채팅방에서 +
   → 앨범 → 사진 선택

2. 하단에 동그라미3개

3. 사진과 동영상에서 원
   하는 화질 선택

4. 확인 → 전송

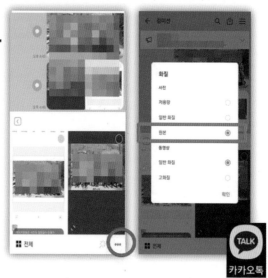

카카오톡 예약메시지 보내는 방법

- 새벽이나 야간에 카카오톡 메시지를 보내기 곤란한 경우 또는 깜빡 잊지 않기 위해서 아래와 같은 방법으로 예약 메시지로 저장했다가 전송합니다.

1. 카카오톡 → 채팅방 입장
2. 키보드 입력 부분 오른쪽에 더하기 모양 터치
3. 예약 메시지 터치
4. 메시지 입력 → 전송할 시간 설정
5. 등록하기

카카오톡으로 받은 사진/동영상 내 갤러리에 저장하는 방법

1. 카카오톡 → 채팅방 입장
2. 사진이나 동영상 터치
3. 하단에 아래로 된 화살표 터치
4. 뒤로

카카오톡으로 메시지 보내는 방법 (키보드)

- 카카오톡 메시지 전송은 '친구'에서 먼저 합니다.
- '친구'에서 메시지 전송 이력이 있으면 나중에는 '채팅'에서도 메시지를 보낼 수 있습니다.

1. 카카오톡 → 친구

2. 메시지 받을 사람 터치

3. 하단에 1:1 채팅 터치

4. 키보드 입력 부분 깜빡거리는 곳 터치

5. 메시지 내용 입력

6. 종이비행기(전송) 터치

카카오톡으로 메시지 보내는 방법 (키보드)

1. 카카오톡 → 친구
2. 메시지 받을 사람 터치

3. 하단에 1:1 채팅 터치

4 자판입력부분깜빡거리는곳터치
5. 메시지 내용 입력
6. 종이비행기(전송) 터치

카카오톡으로 단체 메시지 보내는 방법(10명 미만)

- 카카오톡에서 다른 사람에게서 멋진 사진, 좋은 글을 받았습니다.
- 이것을 다른 분들에게 전달하고 싶을 때 단체 채팅방을 만들지 않고 보내는 방법입니다.
- 한 명씩 보내려면 번거롭습니다.
- 이럴 때 10명까지는 단체 채팅방을 안 만들고 개별로 보낼 수 있습니다.

❖ 단체 채팅방을 만들 때는 서로 관계없는 지인들을 한 채팅방에 모두 초대하지 않도록 주의합니다.

카카오톡으로 단체 메시지 보내는 방법(10명 미만)

1. 카카오톡 → 채팅방 입장
2. 전달할 사진 또는 메시지 길게 터치
3. 전달
4. 친구 → 오른쪽에 줄 3개
5. 받을 사람 오른쪽 동그라미 터치
6. 1:1채팅방(10명 이하) 터치
7. 상단에 확인 터치

카카오톡으로 단체 메시지 보내는 방법(10명 미만)

1. 카카오톡 → 채팅방 입장
2 전달할사진또는 메시지 길게터치

3. 전달

4. 친구 → 오른쪽에 줄3개

5. 받을 사람 오른쪽에 동그라미 터치

6. 1:1채팅방(10명 이하) 터치
7. 상단에 확인 터치

카카오톡

생활 곳곳에 스며드는 인공지능 음성 기술

KT AI케어로봇

어르신들의 반려 로봇

AI돌봄인형 어르신

어르신의 베스트 프렌드! [KT AI 케어로봇]
https://www.youtube.com/watch?v=uY4JjYCqUsA

어르신들의 외로움을 달래주는 반려 로봇
https://www.youtube.com/watch?v=mjNaaPn9Ytc

AI 돌봄인형, 홀로사는 어르신들의 말동무되어 외로움 달랜다
https://www.youtube.com/watch?v=ZpqCVK35hsl

출처 : 유튜브

스마트폰 음성 인식 마이크

- 컴퓨터가 인간의 음성을 인식한다는 것은 영화에서나 볼 수 있는 첨단 기술이라고 여겼던 음성인식 기술이 최근에는 스마트폰으로 인해 일상생활에 가까이 다가왔습니다.
- 스마트폰은 기계이기 때문에 스마트폰에서 음성 인식 마이크 사용은 약간의 연습이 필요합니다.
- 음성 인식 마이크는 음성을 분석하고 결과를 처리하는 데이터 센터에서 수행하기 때문에 스마트폰에서 사용하려면 인터넷(모바일 데이터 또는 와이파이)이 연결되어 있어야 이용할 수 있습니다.

스마트폰 음성 인식 마이크

- 스마트폰뿐만 아니라 일상생활에도 음성 인식 기술이 곳곳에 들어오고 있습니다.
- 기계(스마트폰 등)가 잘 알아들을 수 있도록 마이크 사용을 잘 하면 매우 편리합니다. 처음에는 익숙하지 않지만 계속하다 보면 익숙해집니다.

키보드 마이크   네이버 마이크   유튜브 마이크   넷플릭스 마이크
(인공지능)   (인공지능)   (인공지능)

스마트폰 음성 인식 마이크

카카오내비 마이크	Play스토어 마이크	카카오맵 마이크
(인공지능)	(인공지능)	(인공지능)

띄어쓰기(사이띄기)의 중요성

- 글자 입력 시, 마이크를 이용하여 입력하면 기본적인 사이띄기는 스마트폰이 알아서 해 줍니다.
- 스마트폰이 잘 못 알아듣는 말도 있기 때문에 마이크로 입력한 후에 한 번 더 체크하여 안 맞는 것은 수정합니다.

1. 서울시체육회
2. 서울시 체육회
3. 서울 시체 육회
4. 서울시체 육회

1. 나 물 좀 다오.
2. 나물 좀 다오.

1. 아버지가 방에 들어 가신다.
2. 아버지 가방에 들어 가신다.

1. 무지개 같은 사장님
2. 무지 개같은 사장님

1. 게임하는데 자꾸만 져요.
2. 게임하는데 자꾸 만져요.

1. 오늘 밤나무를 심는다.
2. 오늘밤 나무를 심는다.

1. 서울시 장애인 복지관
2. 서울 시장 애인 복지관

카카오톡 나와의 채팅 활용 방법

1. 홈 카카오톡 아이콘 길게 터치

2. 나와의 채팅 터치

- 카카오톡 '나와의 채팅'은 나만 볼 수 있는 공간입니다.
- '나와의 채팅'에서 문자 입력 방법을 연습하거나 음성 입력 방법을 연습하면 틀려도 보는 사람이 없으니 편합니다.

카카오톡 나와의 채팅 활용 방법

1. 카카오톡 → 친구 → 내 프로필

2. 하단에 나와의 채팅 터치

카카오톡에서 말로 메시지 보내는 방법 (키보드 마이크)

1. 카카오톡 → 친구
2. 메시지 받을 사람 터치

3. 하단에 1:1 채팅 터치

4. 자판에 있는 마이크 터치

5. 마이크 활성화되면 음성으로 메시지 내용 입력
6. 전송 터치

자판 마이크로 말하기 연습 (키보드 마이크)

자판(키보드)의 마이크를 이용하여 아래 내용을 입력해 보세요.

1. 안녕하세요. 오랜만입니다. 여기는 대한노인회 보령지회입니다.

2. 전화 못 받아서 미안해. 내가 지금 어디 좀 와 있어. 이따 전화할게.

3. 이번 주는 내가 좀 바쁘네. 다음 주 금요일에 만나자.

자판 마이크로 말하기 연습 (키보드 마이크)

자판(키보드)의 마이크를 이용하여 아래 내용을 입력해 보세요.

1. 지금은 못 가고 이따 갈게.

2. 내가 한 달에 데이터 몇 기가 쓰니? 데이터가 좀 많았으면 좋겠어.

3. 이번 명절에 집에 오면 네이버 아이디 찾기 해봐서 없으면 만들어주고 가라.

자판 마이크로 말하기 연습 (키보드 마이크)

자판(키보드)의 마이크를 이용하여 아래 내용을 입력해 보세요.

1. 아들아. 언제 집에 오니? 집에 오면 나 모바일 데이터 1기가만 공유해 줘라.

2. 내가 유튜브를 거의 매일 보는데 모바일 데이터가 모자라. 너희들끼리 상의해서 매달 나에게 데이터 4기가 만들어서 자동이체해 주면 고맙겠다.

인공지능 마이크로 말하기 연습 (네이버 마이크)

네이버 마이크를 이용하여 아래 내용을 입력해 보세요.

1. **천안시 백석동 돈가스 식당 알려줘**

2. **부산 해운대 약국 알려줘**

3. **대구 팔공산 커피숍 알려줘**

4. **'아모르파티'노래 가사 찾아줘**

5. **광주광역시에서 속초 가는 교통편 알려줘**

인공지능 마이크로 말하기 연습 (유튜브 마이크)

유튜브 마이크를 이용하여 아래 내용을 입력해 보세요.

1. **조용필 바람의 노래 찾아줘**

2. **정동원 한 시간 듣기 찾아줘**

3. **백김치 담그는 방법 찾아줘**

4. **사과 가지치기 하는 방법 찾아줘**

5. **7080 팝송 찾아줘**

전화 앱 사용하기

스피커폰, 키패드(숫자판) 사용 방법

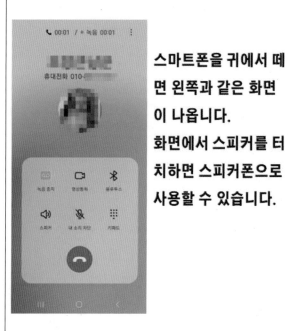

스마트폰을 귀에서 떼면 왼쪽과 같은 화면이 나옵니다.
화면에서 스피커를 터치하면 스피커폰으로 사용할 수 있습니다.

키패드를 터치하면 숫자 자판이 나옵니다.

전화

전화 앱 기본 설명 (키패드)

- 전화 앱의 '키패드'화면에서는 단축번호 지정, 기본 키보드 설정, 키패드 화면을 기본으로 사용, 설정 등을 할 수 있습니다.

전화 앱 기본 설명 (최근기록)

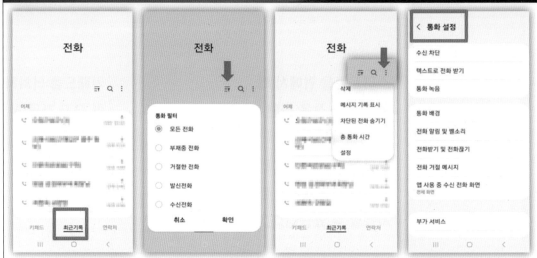

- 전화 앱의 '최근 기록' 화면에서는 통화 필터로 전화 골라 보기, 메시지 기록 표시, 차단된 전화 숨기기, 총 통화 시간, 설정 등을 할 수 있습니다.
- 통화 설정에서는 수신 차단, 통화 녹음, 통화 배경 설정, 전화 알림 및 벨소리, 전화 받기 및 전화 끊기 등의 설정을 할 수 있습니다.

전화 수신 차단 방법 (최근 기록)

전화 앱 하단 '최근 기록'에서 차단 방법

1. 전화 → 하단에 최근 기록에서 차단 하고자 하는 번호 터치

2. 회색 느낌표 터치

3. 하단에 더보기 터치

4. 연락처 차단 터치

5. 차단 터치

전화 수신 차단 방법 (최근 기록)

전화 앱 하단 '최근 기록'에서 차단 방법

1. 전화 →하단에 최근기록에서 차단하고자 하는 번호 터치

2. 회색 느낌표 터치

3. 하단에 더보기 터치

4. 연락처 차단 터치

5. 차단 터치

070 전화 수신 차단하는 방법

1. 전화 → 설정

2. 수신 차단 터치

3. 전화번호 추가에 070 입력하고 +
   더하기 터치

4. 뒤로

차단된 전화 해제 방법 (최근 기록)

전화 앱 하단 '최근 기록'에서 차단 해제 방법

1. 전화 → 하단에 최근 기록 터치

2. 차단 해제하고자 하는 번호 터치

3. 회색 느낌표 터치

4. 하단에 더보기 터치

5. 연락처 차단 해제 터치

전화 수신 차단 방법 (연락처)

전화 앱 하단 '연락처'에서 차단 방법

1. 전화 → 하단에 연락처에서 차단하고자 하는 번호 터치

2. 회색 느낌표 터치

3. 하단에 더보기 터치

4. 연락처 차단 터치

5. 차단 터치

전화 수신 차단 방법 (연락처)

전화 앱 하단 '연락처'에서 차단 방법

 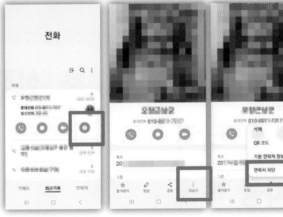 

1. 전화 →하단에 최근기록에서 차단하고자 하는 번호 터치

2. 회색 느낌표 터치

3. 하단에 더보기 터치

4. 연락처 차단 터치

5. 차단 터치

전화 수신 차단 해제 방법 (전화)

전화 앱 하단 '연락처'에서 차단 해제 방법

1. 전화 → 하단에 연락처 터치

2. 오른쪽 점 3개 터치

3. 설정 터치

4. 수신 차단 터치

5. 차단된 번호 옆에 빼기 터치하면

   차단 해제됨.

통화 자동 녹음 설정하는 방법

1. 전화 앱 터치

2. 2시 방향 점 3개 터치 후, 설정 터치

3. 통화 녹음 터치

4. 통화 자동 녹음 활성화

통화 자동 녹음 설정하는 방법

1. 전화 앱에서 2시 방향 점3개 터치

2. 설정 터치

3. 통화 녹음 터치

4. 통화 자동 녹음 활성화

전화

통화 자동 녹음된 파일 보는 방법

1. 전화 앱 터치

2. 2시 방향 점 3개

3. 설정 터치

4. 녹화 녹음 터치

5. 녹음한 통화 터치

6. 녹음된 각 파일 터치하여 들음.

전화

통화 자동 녹음된 파일 지우는 방법

1. 전화 앱 터치

2. 2시 방향 점 3개

3. 설정 터치

4. 녹화 녹음 터치

5. 녹음한 통화 터치

6. 상단 점 3개 터치 → 편집 터치

7. 삭제하고자 하는 파일의 왼쪽 동그라미 터치 또는 전체 체크 후 하단에 삭제 터치

8. 휴지통으로 이동 → 뒤로

T전화에서 기본 전화 앱으로 바꾸는 방법

1. 설정 → 애플리케이션

2. 기본 앱 선택

3. 전화 앱

4. 전화(시스템 기본값)

T전화에서 기본 전화 앱으로 바꾸는 방법

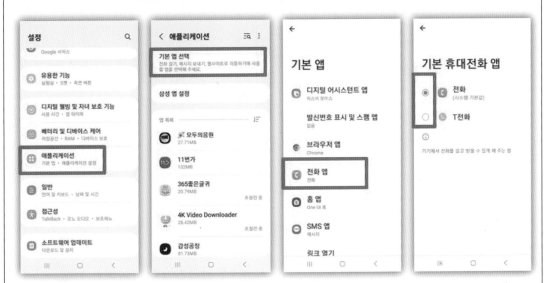

1. 설정 → 애플리케이션 터치

2. 기본 앱 선택 터치

3. 전화 앱 터치

4. 전화(시스템 기본값) 터치

단축번호 등록하는 방법

1. 전화 → 키패드 → 점3개

2. 단축번호

3. 역삼각형 눌러서 번호 지정

4. 이름 또는 번호 입력하거나 사람 모양 눌러서 터치

5. 뒤로

단축번호 등록하는 방법

1. 전화 → 키패드
→ 점3개

2. 단축번호

3. 역삼각형 눌러서 번호 지정

4. 이름 또는 번호 입력하거나 사람
모양 눌러서 터치

5. 뒤로

전화

전화번호 저장 방법

연락처에서 전화번호 저장 방법 (연락처 앱)

1. 주황색 연락처 터치

2. 중간쯤에 + 터치

3. 이름 쓰고

4. 전화번호 쓰고

5. 저장

연락처

걸려 온 전화에서 전화번호 저장 방법 (전화 앱)

1. 초록색 전화 앱 터치

2. 저장할 번호 터치

3. 연락처에 추가 터치

4. 새 연락처 등록 터치

5. 이름 쓰고

6. 저장

전화

받은 메시지에서 전화번호 저장 방법 (메시지 앱)

1. 메시지 터치

2. 저장할 문자 터치

3. 상단에 점 3개 터치

4. 전화번호 옆에 + 터치

5. 하단에 +(추가) 터치

6. 새 연락처 등록 터치

7. 저장

내 연락처 QR코드 보여주는 방법 (연락처 앱)

1. 주황색 연락처 앱 터치

2. 내 이름 터치

3. 하단에 QR코드 터치

4. 편집을 눌러 보여줄 항목을 수정하

   거나 이미지로 저장, 공유할 수 있다.

QR코드로 전화번호 저장하는 방법 (연락처 앱)

1. 상대방 전화에서 연락처 QR코드 열어 놓음.

2. 내 스마트폰의 QR코드 스캐너를 열어 상대방 연락처 QR코드를 인식함.

3. 연락처에 추가 터치

연락처 수정하는 방법

1. 주황색 연락처 앱 터치

2. 수정할 사람 터치

3. 하단에 편집 터치

4. 수정할 내용 정리

5. 저장

연락처에 계좌번호, 주소 등 메모 적어놓는 방법

연락처에 상대방의 전화번호뿐만 아니라 계좌번호, 주소, 이메일 주소, 생일 등을 저장해 놓으면 송금할 때나 택배 보낼 때 편리하게 사용할 수 있습니다.

메시지

앱 사용하기

메시지 보내는 방법 3가지

메시지는 메시지 앱, 전화 앱, 연락처 앱 등에서 보낼 수 있습니다.

1. 메시지 앱
2. 전화 앱
3. 연락처 앱

연락처 앱에서 메시지 보내는 방법

1. 주황색 연락처 앱 터치

2. 메시지 받을 사람 터치

3. 메시지 모양 터치

4. 메시지 내용 쓰고 종이비행기
   (전송) 모양 터치

연락처 앱에서 메시지 보내는 방법

1. 주황색 연락 처 앱 터치

2. 메시지 받을 사람 터치

3. 메시지 모양 터치

4. 메시지 내용 쓰고 종이비행기 (전송) 모양 터치

전화 앱에서 메시지 보내는 방법

1. 전화 앱 터치

2. 메시지 받을 사람 터치

3. 메시지 모양 터치

4. 메시지 내용 쓰고 종이비행기 (전송) 모양 터치

전화

전화 앱에서 메시지 보내는 방법

1. 초록색 전화 앱 터치

2. 메시지 받을 사람 터치

3. 메시지 모양 터치

4. 메시지 내용 쓰고 종이비행기 (전송) 모양 터치

메시지 앱에서 메시지 보내는 방법

1. 메시지 앱 터치

2. 5시 방향 터치

3. 1:1 대화 터치

4. 받는 사람에 전화번호 쓰거나 연락처에서 찾아서 터치

5. 메시지 쓰고 종이비행기(전송) 터치

메시지 앱에서 메시지 보내는 방법

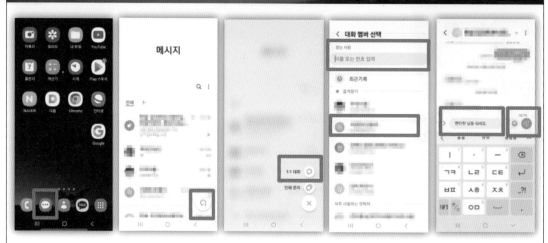

1. 메시지 앱 터치	2. 5시 방향 ⊙ 터치	3. 1:1대화 터치	4. 받는 사람에 전화번호 쓰거나 연락처에서 찾아서 터치	4. 메시지 내용 쓰고 종이비행기(전송) 모양 터치

연락처 저장 안 한 사람에게 메시지 보내는 방법

1. 메시지 터치

2. 5시 방향 ⊙ 터치

3. 받는 사람에 전화번호 쓰거나 연락처에서 찾아서 터치

4. 메시지 쓰기

5. 종이비행기(전송) 터치

메시지로 사진 보내는 방법

1. 메시지 앱 터치

2. 메시지 받을 사람 터치

3. 깜빡거리는 자판 옆에 갤러리 모양 터치

4. 보낼 사진 터치하여 선택

5. 종이비행기(전송) 터치

메시지

메시지로 사진 보내는 방법

1. 메시지 앱 터치

2. 메시지 받을 사람 선택

3. 깜빡거리는 자판 옆에 갤러리 모양 또는 >모양 터치

4. 보낼 사진 터치하여 선택

메시지

4. 메시지 내용 쓰거나 그냥 종이비행기(전송) 모양 터치

모르는 번호, 메시지 수신 차단 하는 방법

1. 메시지 터치

2. 모르는 번호(차단할 번호) 터치

3. 상단에 수신차단 터치

4. 대화 삭제에 체크

5. 수신차단 터치

수신차단이 안 보이는 경우 전화번호 옆에 ∨ 터치

차단된 메시지 차단 해제 방법

1. 메시지 → 오른쪽 점 3개

2. 설정 → 전화번호 및 스팸 차단

3. 수신 차단

4. 차단된 번호에서 빨간색 빼기 버튼 누르면 차단 해제됨.

메시지 예약하는 방법

1. 메시지 앱 터치하여 메시지 받을 사람 선택

2. 깜빡거리는 자판 옆에 더하기 모양 또는 〉 모양 터치

3. 메시지 예약 터치

4. 예약 전송 시간 설정 → 완료

5. 메시지 쓰거나 사진 첨부하여 종이비행기 (전송) 터치하면 예약된 시간에 전송됨.

메시지 예약 전송하는 방법

1. 메시지 앱 터치하여 받을 사람 선택

2. 깜빡거리는 자판 옆에 더하기 모양 또는 〉 모양 터치

3. 메시지 예약 터치

4. 예약 전송 시간 설정 → 완료(시간 숫자를 터치하면 수정할 수 있다.)

5. 메시지 내용 쓰거나 사진 첨부하여 종이비행기(전송) 모양 터치

안 읽은 메시지 한꺼번에 정리하는 방법

1. 메시지 앱 터치

2. 2시 방향 점 3개 터치

3. 모두 읽음으로 표시 터치

연락처 앱 사용하기

연락처에 그룹 만드는 방법

- 모임 등 단체로 문자메시지를 보낼 때 그룹을 만들어서 보내면 편리합니다.

1. 연락처 → 왼쪽 줄 3개

2. 그룹 → 그룹 추가

3. 그룹 이름 쓰고 그룹원 추가 터치

4. 그룹에 넣을 사람 터치 → 완료

5. 저장

연락처에 그룹 만드는 방법

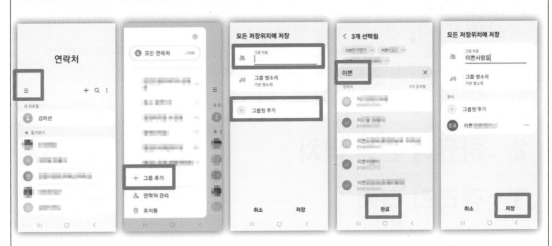

1. 연락처 →
왼쪽 줄3개

2. 그룹 →
그룹 추가

3. 그룹 이름
쓰고 그룹원
추가 터치

4. 그룹에 넣
을 사람 터
치 → 완료

5. 저장

그룹에서 단체 문자 보내는 방법

1. 연락처 → 왼쪽 줄 3개

2. 그룹 → 메시지 보낼 그룹 터치

3. 점 3개 터치

4. 메시지 보내기

5. 사진 첨부하거나 메시지 씀.

6. 전송

❖ 그룹 채팅 : 카카오톡처럼 메시지에 채팅방이 생성되고 대화를 주고받을 수 있음.
❖ 단체 문자 : 그냥 메시지만 보냄.

연락처

연락처 프로필에 사진 등록하는 방법

• 연락처 프로필 동그란 곳에 내가 원하는 사진뿐만 아니라 카메라, AR이모지, 스티커 등 원하는 것으로 설정할 수 있습니다.
• 상대방 프로필에도 사진을 넣을 수 있습니다. 거래처 명함을 받은 경우 명함 사진을 붙여 놓기도 하고 상대방의 사진을 넣어 놓기도 합니다.

1. 연락처 → 내 이름 터치

2. 하단에 편집 터치

3. 갤러리 터치

4. 프로필에 넣을 사진 터치

5. 보일 영역 지정하고

6. 하단에 완료 → 저장 터치

연락처

스마트워크 2.

스마트폰에서 네이버 앱 로그인 확인 방법

네이버 앱 열고 11시 방향
줄3개 터치

상단에 이름이나 아이디
가 보이면 로그인 된 것임.

'로그인하세요'라고
되어 있으면 로그인
안 된 것임.

PC 네이버에서 스마트폰으로 QR로그인 하는 방법

1. 컴퓨터 : NAVER 열고 NAVER 로그인 클릭 → QR코드 클릭

2. 스마트폰 : NAVER 앱 열고 하단 그린닷(초록색 동그라미) 터치

3. 스마트폰 : 그린닷의 렌즈를 눌러 컴퓨터 화면의 QR코드를 스캔 후, Naver Sign in 터치

4. 스마트폰 : pc 화면에 보이는 숫자 선택 →확인

5. 컴퓨터 : 로그인 됨.

PC 네이버에서 스마트폰으로 QR로그인 하는 방법

컴퓨터에서 NAVER 열고 NAVER 로그인 클릭
→ QR코드 클릭

PC 네이버에서 스마트폰으로 QR로그인 하는 방법

2. 스마트폰 : NAVER
앱 열고 하단 그린닷(초
록색 동그라미) 터치

3.스마트폰 : 그린닷의
렌즈를 눌러 컴퓨터 화
면의 QR코드를 스캔 후,
Naver Sign in 터치

4. 스마트폰 : pc화면에
보이는 숫자 선택

5. 확인
컴퓨터 : 로그인 됨.

스마트폰에서 이메일 내게 쓰기 하는 방법

1. 스마트폰에서 NAVER 앱 열기(로그인되어 있어야 함.)

2. 11시 방향 줄 3개 →메일

3. 5시 방향 초록색 더하기 모양 터치.

4. 상단 '내게 쓰기'

5. 제목 쓰고, 클립 모양 터치

6. 파일 첨부

7. Select File → 파일 → 갤러리

8. 사진 선택 → 완료

9. 1시 방향 종이비행기 모양 터치

스마트폰으로 이력서 작성하는 방법

- Play스토어에서 '바래이력서' 앱을 설치합니다.
- 스마트폰에서 작성한 이력서를 인쇄 가능한 사람에게 파일 전송하여 인쇄해 달라고 하면 좋습니다.
- 이력서 작성은 시간이 걸리므로 필요하신 분들은 짬짬이 준비합니다.

1. 사용자 기본 정보 입력 후 저장하기 → 완료 → 확인

2. 더하기 터치

3. 이력서 제목 쓰고 저장 터치

4. 각 항목 쓰고 저장

5. 보내기 터치

6. 이력서 양식 선택 → 보내기 터치

7. 카톡 나와의 채팅 터치

스마트폰으로 이력서 작성하는 방법

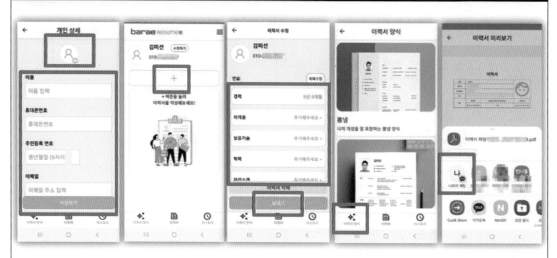

1.사진 등록등 사용자 기본정보 입력 후 저장하기 → 완료 → 확인	2. 더하기터치 3. 이력서제목 쓰고 저장 터치	4. 각 항목 쓰 고 저장 5. 보내기 터치	6. 하단에 이력 서 양식 선택 → 보내기 터치	8. 카톡 나와 의 채팅 터치

메시지 앱 채팅+ 설정하는 방법

- 메시지 앱에서 '채팅 플러스'를 사용하는 분들은 메시지로 한글파일, PDF파일 등의 문서를 전송할 수 있습니다.
- 상대방이 아이폰을 사용하는 경우, 갤럭시 폰에서 메시지로 문서 파일을 전송할 수 없습니다.

1. 메시지 → 오른쪽 점 3개 → 설정 2. 채팅+ 설정 3. 채팅+ 관리 4. 채팅+ 등록

메시지로 문서 파일 보내는 방법

1. 메시지 → 메시지로 문서 받을 사람 선택

2. 깜빡거리는 곳 옆에 더하기 터치

3. 내 파일 앱 터치

4. 문서 터치

5. 보낼 문서 터치 → 완료

6. 문자 메시지 쓰거나 그냥 전송(종이비행기) 터치

메시지로 문서 파일 보내는 방법

| 1.메시지→메시지 받을사람선택 2.깜빡거리는곳옆 에더하기터치 | 2. 내 파일 앱 터치 | 3. 문서 터치 | 4. 보낼 문서 터치 → 완료 | 5. 문자 메시지 쓰거나 그냥 전송(종이비행 기) 터치 |

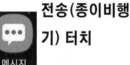

메시지

카카오톡으로 문서 파일 보내는 방법

1. 카카오톡 → 문서 받을 사람 선택하여 채

   팅방 입장

2. 깜빡거리는 곳 옆에 더하기 터치

3. 뒤 화면에 파일 터치

4. 내 파일 터치

5. 문서 터치

6. 보낼 문서 터치 → 완료

TALK
카카오톡

카카오톡으로 문서 파일 보내는 방법

1. 카카오톡 → 문서 받을 사람 선택하여 채팅방 입장
2. 더하기 터치

3. 뒤 화면에 파일 터치

4. 내 파일 터치

5. 문서 터치

5. 보낼 문서 터치 → 완료

문서 뷰어 사용 방법

- 문서 뷰어 뜻 : 문서 뷰어란 스마트폰에서 PDF 파일과 hwp 형식의 한글 문서, 파워포인트 문서, 엑셀 문서 등을 볼 수 있게 해 주는 앱이다.
- 문서 뷰어가 없으면 hwp 파일, ppt 파일, xlsx 파일, pdf 파일 등을 열어 볼 수 없다.
- 많이 사용하는 문서 뷰어로는 폴리리스 오피스와 한컴 오피스 뷰어 등이 있으며 play 스토어에서 설치할 수 있다.

Play 스토어

Polaris Office   한컴오피스 Viewer

네이버 마이박스 자동올리기 끄는 방법

1. 스마트폰에서 네이버 MYBOX 열기

2. 1시 방향 내 프로필

3. 하단 설정

4. 자동 올리기 →끔

5. 첫 화면 설정 → 파일(폴더별로 볼 수 있다.)

6. 뒤로

네이버 마이박스 이용요금

PC에서 네이버 마이박스 종료 방법

1. 컴퓨터 하단 날짜/시계 옆 꺾기 클릭

2. 마이박스 아이콘 위에서 오른쪽 마우스

3. 로그아웃

4. 마이박스 다시 클릭하고 아이디 옆에 꺾기

5. 아이디 모두 삭제

6. 마이박스 다시 클릭하고 아이디 보이는지 확인

PC에서 카카오톡 PC버전 종료 방법

1. 카톡 pc버전 왼쪽 옆구리에 있는 설정 눌러서 로그아웃

2. 이메일 계정 나오면 역삼각형 눌러서 x

3. 상단 설정 누르고 종료

4. 다시 카톡 PC버전 열고 꺾기 클릭해서 계정 삭제되었는지 확인

유튜브 활용

유튜브 시청 시 주의사항(광고 주의)

유튜브 시청 시 주의사항(광고 주의)

유튜브에서 원하는 영상 찾는 방법

1. 유튜브 상단에서 돋보기 터치
2. 검색창에 찾고자 하는 영상 이름 쓰고, 자판의 돋보기 터치

유튜브 영상 보는 방법 (재생, 일시정지)

1. 유튜브에서 영상 화면 터치
2. 화면 위의 ∥ 터치하면 영상이 정지되고 다시 ▷터치하면 영상이 재생된다.

유튜브 영상 보는 방법 (배속으로 보기)

- 배속이란 영상을 평상시 속도보다 빨리 또는 천천히 재생시키는 것을 말합니다.
- 일반 속도의 영상을 2배속으로 재생시키면 10분짜리 영상을 5분에 볼 수 있습니다.

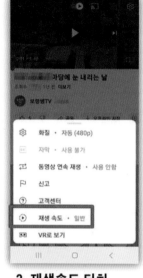

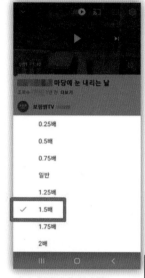

1. 유튜브에서 영상 화면 터치
2. 오른쪽 위에 설정 터치

3. 재생속도 터치

4. 재생속도 지정

유튜브 영상 보는 방법 (배속으로 보기)

1. 유튜브에서 영상 화면 터치

2. 오른쪽 위에 설정 터치

3. 재생 속도 지정

유튜브 영상 보는 방법 (화면 크게 보기)

1. 유튜브에서 영상 화면 터치
2. 화면 위의 터치하면 영상이 가로로 커짐.
3. 화면 터치하여 터치하면 영상이 세로로 됨.

YouTube

유튜브에 영상 올리는 절차

1. 스마트폰으로 영상을 촬영하거나 사진을 이어 붙여 영상을 만든다.
2. 스마트폰 영상 편집 앱으로 편집한다.
   (ex 갤러리, 키네마스터, VLLO, VITA, 스쿱파, 비바 비디오, 슬라이드메시지, 파워디렉터 등)
3. 유튜브 앱에서 영상을 업로드한다.

YouTube

유튜브에 영상 올리는 절차 (썸네일 적용)

1. PC에서 유튜브 계정 인증을 한 번 한다.
2. 스마트폰에 "YouTube Studio" 앱을 다운로드한다.
3. 스마트폰으로 영상을 촬영한다.
4. 스마트폰 영상 편집 앱으로 편집한다. (ex 키네마스터, VLLO, VITA, 파워디렉터 등)
5. 유튜브 앱에서 영상을 업로드한다.
6. 썸네일을 만든다. (ex 멸치, 캔바, 글그램…)
7. "YouTube Studio" 앱으로 간다.
8. 썸네일과 태그, 제목, 설명 등을 수정한다.

유튜브에 영상 올리는 방법

1. 유튜브 → 하단의 ⊕ → 동영상 업로드
2. 영상 선택 → 다음
3. 제목, 설명 쓰기
4. 공개 상태 : 공개/일부 공개/비공개
5. 예약(선택사항)
6. 시청자층 : 아동용 동영상 아님
7. 업로드

유튜브에서 내가 올린 동영상 보는 방법

- 유튜브에서 1시 방향 동그라미(내 프로필) 터치
- 내 채널 → 동영상 관리

앱 설치하는 스토어의 종류 3가지(안드로이드 폰)

- 원스토어 : 대한민국 이동통신 3사와 네이버의 통합 앱 스토어이다. 유튜브 영상 다운로드 앱 등 구글 플레이스토어에서 정책상 불가능한 앱들도 올라와 있습니다.
- Play 스토어 : 구글에서 운영하는 앱 스토어이다. 안드로이드 운영체제를 이용하는 사람들이 많이 사용하는 앱입니다.
- 갤럭시 스토어 : 갤럭시 스마트폰을 만든 삼성에서 자체 운영하는 앱 스토어입니다.

유튜브 영상/음악 다운로드하는 방법

- 유튜브에서 영상이나 음악을 다운로드하려면 '원스토어'에서 '스텔라 브라우저'앱을 설치하여 사용합니다.
- 스텔라 브라우저 앱은 play 스토어에 없습니다.
- 유튜브에서 보이는 광고는 구글의 수입원이기 때문에 유튜브에서 영상/음악을 다운로드하는 것은 구글 정책상 불가능하기 때문입니다.

유튜브 영상/음악 다운로드하는 방법

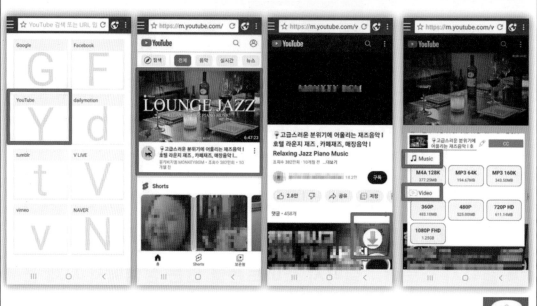

스마트폰에 있는 앱 빨리 찾는 방법

- 스마트폰을 사용하다 보면 점차 설치하는 앱이 많아집니다. 자주 사용하지 않는 앱은 어디에 있는지 잘 모릅니다. 그럴 때 빨리 찾는 방법입니다.

1. 홈 화면에서 앱스 버튼 터치
2. 앱스 버튼 상단에 '검색' 또는
   돋보기 또는 '파인더 검색' 터치
3. 찾을 앱 이름 쓰기
4. 찾은 앱 나오면 터치하여 열거
   나, 길게 눌러 앱 위치 확인

스마트폰 다운로드 위치 찾기, 저장 경로 찾는 방법(내 파일 앱)

- 사진, 동영상 등은 갤러리에서 확인할 수 있지만 오디오 파일, 문서 파일 등은 내 파일 앱에서 확인합니다.
- 내 파일 앱에서 내장 메모리 확인, 휴지통 관리, 저장 공간 분석 등을 할 수 있습니다.

기타
스마트폰의 유용한 기능
알아보기

노래방에서 번호 빨리 찾는 방법

1. 네이버 검색창에 '노래방 번호' 검색
2. '가수명 혹은 곡명을 검색하세요'에서 검색

- Play 스토어에서 '노래방 번호 앱'을 설치해도 되지만 그 경우, 스마트폰의 저장 공간도 차지하고 광고도 봐야 합니다.

LED 전광판 사용 방법(스마트폰으로 응원하기)

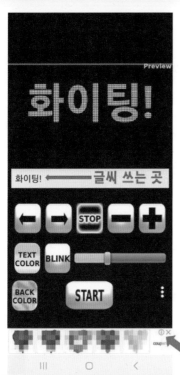

글씨 쓰는 곳

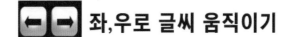 좌,우로 글씨 움직이기

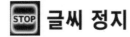 글씨 정지

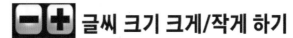 글씨 크기 크게/작게 하기

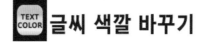 글씨 색깔 바꾸기

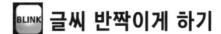 글씨 반짝이게 하기

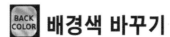 배경색 바꾸기

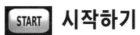 시작하기

전광판 LED

광고

두 앱을 한꺼번에, 분할 화면 사용하기

- 스마트폰 화면을 반으로 나누어 두 개의 앱을 한 화면에서 실행할 수 있습니다.
- 예를 들어 유튜브를 보면서 네이버 검색을 하거나 카카오톡을 할 수 있습니다.

긴급재난문자 수신 설정 및 차단하는 방법

1. 설정 → 안전 및 긴급

2. 재난문자

3. 긴급 재난 문자, 안전 안내 문자, 전체 화면 메시지 표시 등 각 항목 설정

4. 뒤로

- 긴급재난문자 : 40데시벨 이상 특유의 '삐--'하는 국제 표준이다.
- 안전안내문자 : 코로나 확진자 발생, 미세먼지, 폭염, 황사, 자연재해 등 기상특보와 안전주의를 요할 때 발송된다.

스마트폰에 내 의료 정보 추가하는 방법

긴급 상황에 활용할 수 있도록 본인의 의료정보를 적어 놓습니다.

1. 설정 → 안전 및 긴급 터치

2. 의료 정보 터치

3. 연필 모양 터치

4. 알레르기, 복용 중인 약, 혈액형, 참고사항 등 기록

5. 하단에 저장

설정

스마트폰에 긴급 연락처 추가하는 방법

긴급 상황에 활용할 수 있도록 본인의 긴급 연락처를 적어 놓습니다.

1. 설정 → 안전 및 긴급 터치
2. 긴급 연락처 터치
3. 그룹원 추가 터치
4. 추가할 사람 터치
5. 하단에 완료 터치

설정

스마트폰으로 녹음하는 방법

- 음성 녹음 앱에는 일반, 인터뷰, 텍스트 변환 등의 녹음을 할 수 있습니다.
- 텍스트 변환 녹음을 하면 말하는 내용을 글자로 받아 적어 편리합니다.
- '목록'에서 녹음한 파일들을 볼 수 있습니다.

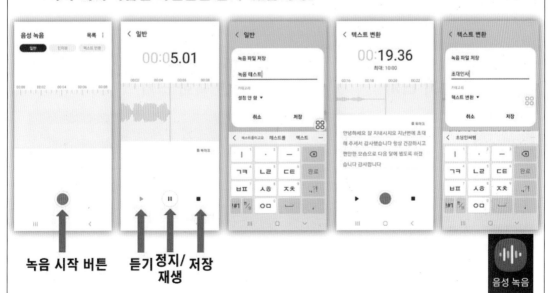

녹음 시작 버튼   듣기   정지/ 저장
                          재생

음성 녹음

유튜브 영상 갤러리에서 보는 방법(화면 녹화 방법)

스마트폰 화면녹화 기능을 활용해 유튜브 영상을 녹화하여 갤러리에서 볼 수 있습니다.

1.   유튜브에서 영상 선택

2.   가로로 보기 터치

3.   스마트폰 화면 상단 쓸어 내려 '화면 녹화' 터치

4.   소리 설정 → 녹화 시작

5.    다 녹화한 후 정지 버튼 터치

유튜브 영상 갤러리에서 보는 방법(화면 녹화)

1. 유튜브에서 영상 선택
2. 가로로 보기 터치

3. 스마트폰 화면 상단 쓸어 내려 '화면 녹화'터치

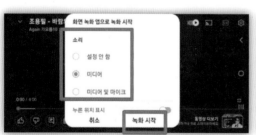

4. 소리 설정 → 녹화 시작

5. 다 녹화한 후 정지 버튼 터치

삼성페이 카드 등록하는 방법 (처음 할 때)

1. Play스토어에서 삼성페이 설치 후 열기
2. 추가 → 결제카드
3. 사진으로 찍어 카드 추가
4. 앱 사용 중에만 허용
5. 사각형 안에 카드를 맞추면 자동으로 찍힘.
6. 보안코드(CVC/CVV), 카드 비밀번호, 주민등록번호 입력 → 다음
7. 약관 동의 '전체'체크 → 계속
8. 이름, 국적, 성별, 생년월일(19800101)형식, 통신사, 전화번호 입력 후 인증 요청
9. 카드 결제 비밀번호 입력(숫자6자리)
10. 결제 비밀번호 한 번 더 입력
11. 서명 입력 → 다음
12. 카드 추가 완료 → 완료

삼성페이 카드 등록하는 방법 (두번째 할 때)

1. Play스토어에서 삼성페이 설치 후 열기
2. 계속 → 건너 뛰고 Samsung Pay 비밀번호 사용
3. 앱 비밀번호 등록(숫자6자리)
4. 비밀번호 한 번 더 입력
5. 추가 → 결제카드 → 확인
6. 가져오기 → 가져오기
7. 전체에 체크 → 계속
8. 이름, 국적, 성별, 생년월일(19800101)형식, 통신사, 전화번호 입력 후 인증 요청
9. 카드 결제 비밀번호 입력(숫자6자리)

삼성페이 사용방법 (편의점)

1. 편의점에서 물건을 고른 후 계산대로 간다.
2. 스마트폰 하단의 삼성페이 바를 위로 민다.
3. 비밀번호 터치 후 결제 비밀번호(숫자6자리)를 터치한다.
4. 50초 안에, 내가 휴대전화의 뒷면을 카드 리더기에 대거나 직원에게 준다.
5. 나 또는 직원이 내 휴대폰으로 결제한다.
6. 물건을 들고 나온다.

삼성페이 사용방법 (편의점)

삼성페이 바

비밀번호 입력 후 스마트폰을 카드 리더기에 댄다.

우체국 소포/택배 간편 사전접수하는 방법

- 소포나 택배를 들고 우체국에 가기 전에 스마트폰으로 간편하게 사전 접수하고 가면 편리합니다.

- 회원가입을 안 해도 사용할 수 있습니다.

- 1~2개는 3%, 3개~9개는 5%, 10개 이상은 10%, 50개 이상은 15% 할인됩니다.

우체국 소포/택배 간편 사전접수하는 방법

- 우체국 앱을 설치하거나 아래 QR코드로 간편 사전 접수하고 소포/택배 들고 우체국에 갑니다.

- 창구에서 보낼 소포/택배 들이밀며 '사전 접수했어요'라고 말합니다.

- 전화번호나 접수번호 불러 주고 우편요금을 냅니다.

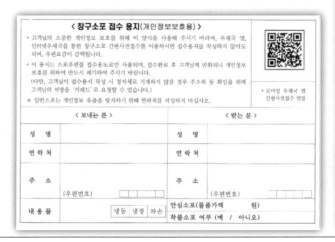

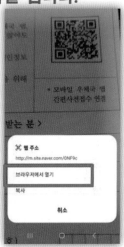

무인민원발급기 설치 장소 찾는 방법

- 우리 동네 뿐만 아니라 타 지역에 갔을 때도 유용합니다.

1. 네이버 검색창에 '무인민원발급기 위치' 검색
2. 설치 장소 확인-정부24 터치
3. 지역, 시/군/구 등 선택하고 검색 터치
4. 하단에 무인민원발급기 설치 장소 터치하여 각 정보 확인

무인민원발급기 설치 장소 찾는 방법

1. 네이버 검색창에서 무인민원발급기 위치검색
2. 설치장소 확인-정부24 터치

3. 지역, 시/군/구 등 선택하고 검색 터치

4. 하단에 무인민원발급 설치장소 터치하여 각 정보 확인

블루투스 스피커 연결 방법

- 스마트폰 공기계(전화 안 됨)에 음악을 다운로드하여 블루투스 스피커로 들으면 음악 끊김 없이 좋은 음질로 들을 수 있습니다.

1. 블루투스 스피커의 전원을 켜고 리본 모양의 블루투스 버튼을 누른다.

2. 스마트폰 상단에서 블루투스를 켠다. 블루투스 스피커가 띠잉띵~거리면서 주변 블루투스 기기를 찾는다.

3. 스마트폰이 연결 가능한 기기를 찾아 내면 해당 블루투스 이름을 터치

4. 블루투스 연결 요청 확인

5. 등록된 디바이스

스마트폰 나침반 앱 사용 방법(네이버 지도)

- 네이버 지도 앱의 나침반 표시를 활용하여 동서남북이 어디인지 알 수 있습니다. 네이버 지도 앱은 나침반 앱보다 광고가 적습니다.
- 네이버 지도 나침반에서 N(빨간색)은 북쪽을 나타냅니다.

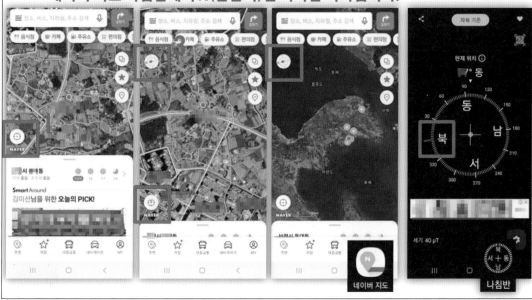

근처 응급실 찾기, 병·의원 찾는 방법

- **Play스토어에서 '응급의료정보제공'앱을 설치합니다.**

근처 응급실 찾기, 병·의원 찾는 방법

- 우리 동네 뿐만 아니라 타 지역에 갔을 때도 유용한 앱입니다.

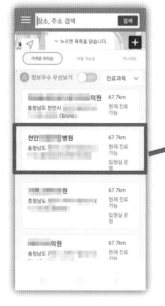

탁상 시계 사용 방법

- Play 스토어에서 '탁상시계'앱을 설치합니다.
- 유심이 없는 스마트폰 공기계를 활용하면 좋습니다.
- 어르신 계신 방에 야간 시계로도 좋습니다.

메뉴

제곱미터(m^2)를 평으로 바꾸는 방법(계산기)

- 삼성 갤럭시 스마트폰에서 기본 제공하는 계산기 앱의 단위 계산기를 사용하여 면적, 길이, 온도, 부피, 무게, 데이터, 속도 등을 환산할 수 있습니다.
- 삼성 계산기는 불필요한 광고가 없습니다.
- 전통 단위인 몇 평, 몇 리, 몇 되, 몇 말, 몇 근, 몇 돈 등도 쉽게 계산할 수 있습니다.

'근'을 kg으로 바꾸는 방법(계산기)

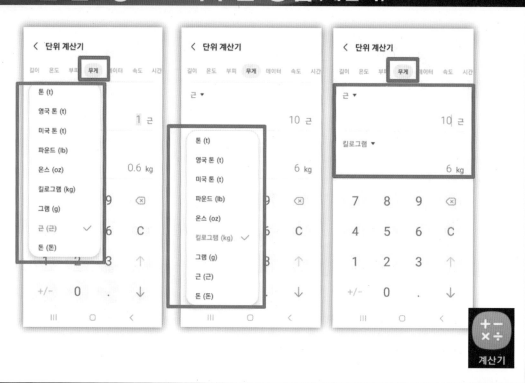

모바일 핫스팟 연결 방법

- 모바일 핫스팟 뜻 : 휴대전화에서 사용하는 모바일 데이터를 이용하여 컴퓨터나 노트북, 태블릿이나 다른 스마트폰과 같은 스마트 기기에서 인터넷을 사용할 수 있게 하는 것

- 모바일 데이터가 없거나 와이파이가 없는 공간에서 인터넷을 사용하기 위해 무선 데이터에 연결하는 것

- 아이들이 게임을 많이 해서 부모님들이 아이들의 휴대폰에 모바일 데이터를 적게 줄 때 할머니, 할아버지 집에 온 손주들이 '모바일 핫스팟 켜 주세요'라고 말하기도 한다. 할머니, 할아버지는 본인의 모바일 데이터가 얼마큼 있는지 알고 손주에게 핫스팟을 켜 주는 게 좋다.

모바일 핫스팟 연결 방법

- 모바일 핫스팟을 이용하여, 무제한 요금제를 사용하는 손주의 모바일 데이터를 할머니가 사용하는 방법입니다.

1. **손주 폰 : 스마트폰 상단에서 모바일 핫스팟을 터치하여 켜고 비밀번호를 확인한다.**

2. **할머니 폰 : 스마트폰 상단에서 와이파이를 길게 누른다.**

3. **사용 가능한 네트워크에 손주의 폰 이름이 뜨면 터치한 후 비밀번호를 적고 '연결'을 터치한다.**

모바일 핫스팟 연결 방법

- 모바일 핫스팟 비밀번호를 적을 때 감겨 있는 눈 모양을 터치하면 눈 뜬 모습이 됩니다.
- 눈 뜬 모습이 되면 비밀번호를 눈으로 볼 수 있어서 오타를 확인할 수 있습니다.
- 비밀번호는 8자리 이상으로 긴데, 한 글자라도 오타가 나면 연결이 안 됩니다.

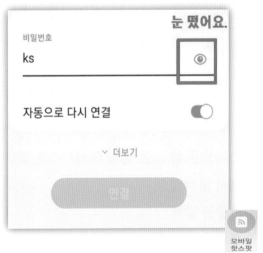

모바일 핫스팟 비밀번호 설정 방법

1. 스마트폰 상단에서 모바일 핫스팟을 길게 누른다.

2. 설정 터치

3. 보안 → WPA2-Personal 터치

4. 비밀번호 8자리 설정

5. 저장

모바일 핫스팟 비밀번호 설정 방법

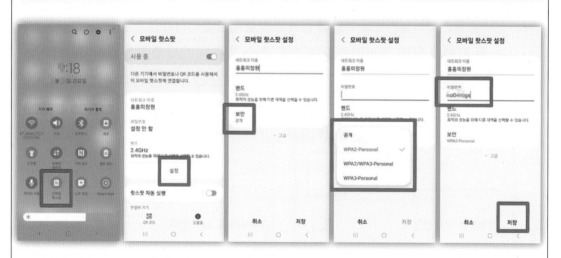

1. 스마트폰 상단에서 모바일 핫스팟을 길게 누른다.

2. 설정 터치

3. 보안 → WPA2-Personal 터치

4. 비밀번호 8자리 설정

5. 저장

좋은 글 앱 활용하기

1. Play 스토어에서 '좋은 글'앱을 검색하여 설치합니다. 좋은 글, 예쁜 사진이 많이 있는 앱입니다.
2. 보다가 좋은 글이나 마음에 드는 사진이 있으면 화면 캡처 후 자르기 하여 저장한 후 지인들에게 보낼 수 있습니다.
3. 일방적으로 보내지 않습니다. 상대방이 이런 글과 사진을 받으면 좋아하는지 확인 후 보냅니다.
4. 앱에서 바로 '카톡 공유'를 했을 경우 상대방이 그 앱을 설치하지 않았으면 볼 수 없습니다.
5. 곳곳에 광고가 있습니다. 무료로 사용하는 앱이니 광고는 봐야 합니다.

PicMix 앱 활용하기

- Play 스토어에서 'PicMix' 앱을 검색하여 설치합니다.
- 반짝반짝 움직이는 GIF 사진, 예쁜 사진이 많이 있는 앱입니다.
- 마음에 드는 사진을 터치한 후, 아래로 된 화살표를 터치하면 내 갤러리에 다운로드됩니다.
- 다운로드한 gif 사진 위에 글씨팡팡 같은 앱을 사용하여 글씨를 쓸 수 있습니다.
- 곳곳에 광고가 있습니다. 무료로 사용하는 앱이니 광고는 봐야 합니다.

감성공장 앱 활용하기(캘리그라피 합성 앱)

- Play 스토어에서 '감성공장'앱을 검색하여 설치합니다.
- 감성공장 앱은 내 갤러리의 사진 위에 멋진 캘리그라피 글씨를 올려 합성할 수 있는 앱입니다.

감성공장 앱 활용하기(캘리그라피 합성 앱)

| 1. 배경사진 선택
아래 더하기 터치
2. 갤러리 → 합성
할 사진 터치 | 3. 캘리그라피 선택
아래 더하기 터치 | 3. 합성할 캘리그라
피 선택
4. 합성하기 | 4. 합성하기 | 5. 글씨색, 크기 조
절, 회전, 컬러 등
편집한 후 상단에
체크(∨) 터치
6. 광고 보기 |

스마트폰으로 도장 만들기

- Play 스토어에서 '전자도장 만들기' 앱을 설치합니다.
- 돈 안 들이고 도장 만들기가 이렇게 쉬운 것처럼 사기 치는 문서를 만드는 것도 그만큼 쉬운 세상입니다.

1. **한글 도장형 터치**
2. **이름 쓰고 하단에 다음 터치**
3. **인주 색상, 글씨체 선택**
4. **도장 이미지 저장**
5. **하단에 카톡공유, 일반공유, 프린트 등의 기능도 활용**
6. **뒤로**

스마트폰으로 도장 만들기

1. 한글 도장형 터치
2. 이름 쓰고 하단에 다음 터치

3. 인주 색상, 글씨체 선택
4. 도장 이미지 저장
5. 뒤로

하단에 카톡공유, 일반공유, 프린트 등의 기능도 활용

캘린더 연도별 달력 보는 방법

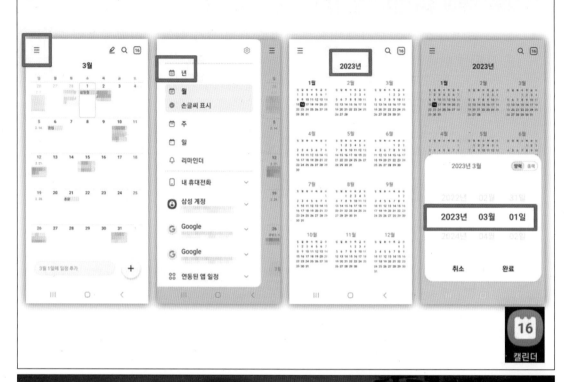

캘린더에 음력 제사, 생일 등 반복 저장 하는 방법

1. 캘린더 → 하단에 더하기 모양 터치

2. 제목 쓰고 날짜 터치

3. 양력 옆에 음력 터치하고 달력을 이동하여
   날짜 지정

4. 화면을 아래쪽으로 내려 반복 안 함 터치

5. 매년 터치

6. 뒤로 → 저장

캘린더

캘린더에 음력 제사, 생일 등 반복 저장 하는 방법(1)

- 캘린더 앱에서 제목, 날짜(음력), 매년 반복 이 3가지만 설정해 봅니다.
- 월세, 전기 요금, 대출이자, 전화 요금 등은 매월 반복으로 설정할 수 있습니다.

1. 캘린더 → 하단에 더
하기 모양 터치

2. 제목 쓰고 날짜 터치

3. 양력 옆에 음력 터치하고
달력을 이동하여 날짜 지정

캘린더에 음력 제사, 생일 등 반복 저장 하는 방법(2)

4. 화면을 아래쪽으로
내려 반복 안 함 터치

5. 매년 터치
6. 뒤로

7. 저장

캘린더

225

스마트폰과 TV를 연결하는 방법(Smart View)

1. TV를 켠다.

2. 스마트폰 상단에서 Smart View 를 켠다.

3. 스마트폰이 '연결 가능한 TV'를 찾아내면 터치한다.

4. 텔레비전 상단에 나오는 '허용'을 스마트 리모컨으로 누른다.

스마트폰과 TV를 연결하는 방법(Smart View)

- 스마트폰에 있는 유튜브 영상이나 갤러리의 동영상 등 스마트폰 화면을 TV로 시청하는 기능입니다.
- 이 기능은 텔레비전이 '스마트 TV'인 경우 사용 가능합니다.
- 집에 스마트 리모컨이 있으면 스마트 TV입니다.

스마트 리모컨   평상시 사용하는 리모컨

스마트폰과 TV를 연결하는 방법(Smart View)

3. 스마트폰이 '연결 가능한 TV'를 찾아내면 터치한다.

4. 텔레비전 상단에 나오는 '허용'을 스마트 리모컨으로 누른다.

처음에 한 번 연결해 놓으면 다음에는 TV에서 허용을 누르는 단계가 없습니다.

1. TV를 켠다.

2. 스마트폰 상단에서 Smart View를 켠다.

스마트폰과 TV를 연결하는 방법(Smart View)

1. TV를 켠다.

2. 스마트폰 상단에서 Smart View를 켠다.

3. 스마트폰에 연결되어 있는 TV를 터치한다.

4. 지금 시작

스마트폰과 TV를 연결하는 방법(Smart View)

- 스마트폰과 TV를 한 번 연결해 놓은 후 사용하는 방법입니다.

1. TV를 켠다.
2. 스마트폰 상단에서 Smart View 를 켠다.
3. 스마트폰에 연결되어 있는 TV를 터치한다.
4. 지금 시작

돋보기 사용 방법

- '내 돋보기' 앱 사용 방법입니다.
- 발바닥에 가시가 박혔을 때, 멀리 있는 글자 또는 글자가 작아서 잘 안 보이는 등 확대가 필요할 때 유용한 앱입니다.
- 스마트폰 카메라 화면을 손가락으로 벌려서 크게 볼 수도 있습니다.

아나운서 목소리로 안내방송하는 방법(클로바 더빙)

- Play 스토어에서 '클로바 더빙' 앱을 설치합니다. 네이버 아이디가 있어야 사용 가능합니다.
- 이장/통장님이 마을 방송 등 각종 안내 멘트를 작성하여 아나운서 목소리로 방송하는 방법입니다.

- *더빙(방송)할 내용 준비*
- *클로바 더빙 앱 열고 네이버 로그인*

1. 하단에 내 프로젝트 터치

2. 새 프로젝트 생성 터치

3. 제목 쓰고 만들기 터치

4. 내용 쓰거나 복사해서 붙여넣기하고 목소리 선택 후 재생 버튼 눌러서 미리 듣기

5. 상단에 다운로드 터치

아나운서 목소리로 안내방송하는 방법(클로바 더빙)

- 더빙(방송)할 내용 준비한 후, 클로바 더빙 앱 열고 네이버 로그인합니다.

1. 하단에 내 프로젝트 터치
2. 새 프로젝트 생성 터치

3. 제목 쓰고 만들기 터치

4. 내용 쓰거나 복사해서 붙여넣기하고 목소리 선택 후 재생버튼 눌러서 미리듣기

* 사용 시 주의사항 체크 후 확인 : 1회만 하면 됨.

5. 상단에 다운로드 터치
6. 개별 파일 → MP3로 다운로드

화면 캡처(스크린샷) 하는 방법 2가지

- 화면 캡처 뜻 : 화면 캡처란 화면 있는 그대로 사진을 찍는 것으로 '스크린샷' 이라고도 합니다.
- 스마트폰에서 화면 캡처를 하면 갤러리의 '스크린샷' 폴더에 저장이 됩니다.

1. **버튼**으로 캡처하기 : 전원 버튼과 음량 아래쪽 버튼을 동시에 눌러서 캡처합니다. 두 버튼 중 한 개라도 먼저 눌리면 캡처되지 않습니다.

2. 손으로 밀어서 캡처하기 : 스마트폰 화면 위에 손바닥을 칼날처럼 세워 옆으로 밀어서 캡처합니다.

손으로 밀어서 캡처 설정 방법

1. 1시 방향 설정
2. 유용한 기능
3. 모션 및 제스처
4. 손으로 밀어서 캡처 활성화 함.

보조메뉴 화면 캡처(스크린샷) 설정 방법

- 보조메뉴가 화면에 항상 떠 있는 것이 불편하신 분은 아래 순서대로 들어가서 보조메뉴 활성화를 꺼 놓으면 됩니다.

1. 1시 방향 설정
2. 접근성
3. 입력 및 동작
4. 보조 메뉴 버튼 터치하여 켬/끔.

설정

보조메뉴로 화면 캡처(스크린샷) 하는 방법

1. 1시 방향 설정
2. 접근성

3. 입력 및 동작

4. 보조메뉴 활성화 함.

보조메뉴 활성화해 놓으면 이 모양이 항상 동동 떠 있음.
이것을 터치한 후 스크린샷 터치하면 화면 캡처됨.

설정

중요한 정보, 보안 폴더로 이동하기

신분증, 민망한 야동, 보안 폴더로 이동하기

1. 보안폴더로 이동할 사진이나 동영상, 파일 등 선택
2. 하단에 점3개
3. 보안 폴더로 이동
4. PIN을 입력하세요(핀 번호 6자리)

보안 폴더에서 내보내기

1. 보안 폴더 → 내 보낼 폴더 선택
2. 내 보낼 사진, 영상, 파일 등 선택
3. 하단에 점3개
4. 보안 폴더에서 내보내기

당근마켓 앱 설치 방법

- Play 스토어에서 '당근마켓' 앱을 설치합니다.
- 당근마켓 : 위치 기반으로 내가 사는 곳 근처에서 중고 거래, 동네 정보 등을 얻을 수 있습니다. 사용하지 않는 물건은 무료 나눔도 하고 중고 물건을 팔고 사기도 합니다.

1. 시작하기
2. 앱 사용 중에만 허용
3. 모두 동의 체크하고 시작하기
4. 현재 위치로 찾기
5. 휴대폰 번호 쓰고 인증문자 받기
6. 인증

당근마켓 동네 인증하기

1. 당근마켓 하단 '나의 당근'

2. 하단에 동네 인증하기

3. 현재 위치로 동네 변경하기 → 동네 변경

4. 동네 인증 완료하기

당근마켓에서 물건 사는 방법

1. 당근마켓에서 마음에 드는 물건을 터치한다.

2. 하단에 채팅하기를 터치한다.

3. 채팅창에 '제가 사고 싶습니다. 살 수 있을까요?'라는 메시지를 남긴다.

4. 답장을 기다린다.

5. 채팅으로 답장이 오면 만날 장소와 시간을 정하고 만나서 물건 받고 돈 준다.

당근마켓에서 채팅으로 물건 사는 방법

- 당근마켓에서 마음에 드는 물건이 있으면 아래와 같이 '채팅하기'를 통해 구입 의사를 표현합니다.
- 판매자가 판매 가능하다고 하면, 만날 장소와 시간을 정합니다.
- 만나서 물건을 받고 돈을 지불합니다.

당근마켓에서 물건 파는 방법

1. 스마트폰으로 팔 물건 사진을 찍는다.

2. 당근마켓 앱 열고 5시 방향 더하기 터치

3. 팔 물건에 해당하는 카테고리 또는 내 물건 팔기 터치

4. 사진 등록, 제목 쓰고, 카테고리 정하고, 가격 쓰고, 설명 쓴다.

5. 1시 방향 완료 터치

6. 내 물건 사겠다는 채팅이 오기를 기다린다.

당근마켓에서 물건 파는 방법

- 중고거래인 점을 감안하여 적절한 가격을 올립니다.
- 사진, 제목, 내용 등을 성의있게 올립니다.

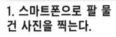

1. 스마트폰으로 팔 물건 사진을 찍는다.

2. 5시 방향 주황색 더하기 터치

3. 팔 물건에 해당하는 카테고리 또는 내 물건 팔기 터치

4. 사진 등록, 제목 쓰고, 카테고리 정하고, 가격 쓰고, 설명 쓴다.

5. 1시 방향 완료 터치

* 1시 방향 점3개 터치하면 해당 글을 수정, 끌올, 숨기기,삭제할 수 있다.

당근마켓 상품 사진 등록 요령

1. 물건을 정중앙에 배치하여 사진 찍음.

2. 사진은 최소 5장 이상 업로드

3. 사진은 깨끗하게 보정하여 업로드

4. 가로, 세로 일관성 있는 사진 업로드

● Tip : 직사각형의 9:16으로 촬영해도, 상품을 정중앙에 배치하고 여분을 주고 촬영하면 16:9, 4:3, 1:1로 자르기 편집해도 괜찮음.

카카오톡 톡게시판을 메모 저장공간으로 활용하는 방법

1. 홈에서 카카오톡 아이콘 길게 누름.

2. 나와의 채팅 터치

3. 1시 방향 줄 3개 터치

4. 아래쪽에 '톡 게시판'터치

5. 연필 모양 터치

6. 메모글, 사진, 영상, 파일 등 업로드

7. 1시 방향 확인

카카오톡 톡게시판을 메모 저장공간으로 활용하는 방법

1. 홈에서 카카오톡 아이콘 길게 누름.
2. 나와의 채팅 터치

3. 1시 방향 줄3개 터치

4. 아래쪽'톡게시판'터치

5. 연필 모양 터치

6. 메모글,사진,영상, 파일 등 업로드
7. 1시 방향 확인

내 톡게시판에 있는 정보 찾는 방법

1. 카카오톡 → 친구

2. 위쪽에 내 이름 터치

3. 하단 나와의 채팅 터치

4. 1시 방향 줄 3개 터치

5. 톡게시판

카톡에 내 생일 안 뜨게 하는 방법

- 카카오톡에 '생일 알림'을 켜 놓으면 내 생일날 모든 내 카톡 친구들에게 내 생일이 라고 뜹니다.
- 내 생일을 다른 사람들에게 굳이 알리고 싶지 않을 때 생일 알림을 끄는 방법입니다.

1. 카카오톡 → 친구

2. 위쪽에 내 이름(내 프로필) 터치

3. 상단 설정 터치

4. 아래쪽 생일 알림 끄기

5. 뒤로

온라인에서 쉽게 저지르는 저작권 침해 유형 10가지(1)

1. 인터넷에서 떠도는 글, 그림, 사진을 퍼서 내 홈페이지·카페·블로그 페이스북에 옮기기

   저작자 표시도 없고 남들도 다 쓰는데, 뭐... 하고 함부로 가져다 쓰면 안 됩니다. 표시는 없어도 저작권자는 반드시 있습니다.

2. 공유 사이트 웹하드 등에서 자료 주고받기

   내 것도 아닌 저작물을 함부로 올려서 공유하면 안 됩니다.

   함께 나누는 것은 좋지만, 내 것을 나눌 때에만 미덕이 될 수 있습니다.

3. 영화 음악 파일 게시판 자료로 올리기

   직접 만든 영화, 직접 만든 음악이라면 모를까, 대부분의 영화와 음악 파일을 올릴 때에는 반드시 저작권자의 허락을 받아야 합니다.

4. 컴퓨터 프로그램, USB에 담거나 CD로 구워서 친구들에게 나눠 주기

   컴퓨터 프로그램도 저작권법에서 보호하고 있는 저작물입니다. 따라서 이를 복제하여 친구들에게 나눠 주는 행위는 허용되지 않습니다. 내용 출처: 한국저작권위원회

온라인에서 쉽게 저지르는 저작권 침해 유형 10가지(2)

5. 멋진 음악, 내 블로그에 배경 음악으로 쓰기

   블로그 회사에 대가를 치르고 구입한 음악은 괜찮지만, 여러분이 가진 음악 파일을 변환해서 배경 음악으로 쓰는 것은 안 됩니다.

6. 인기 드라마, 예능 등 방송 프로그램 캡처하여 인터넷에 올리기

   드라마나 영화의 멋진 장면, 예능의 재미있는 장면을 캡처하여 올리는 친구들이 많이 있습니다. 이는 전송권 침해가 될 수 있으므로 주의해야 합니다.

7. 좋아하는 가수 팬클럽 카페에 음악 올리기

   좋아하는 가수 팬클럽 카페나 가수 홈페이지에 그 가수의 노래를 올리려면 그 노래의 작사가와 작곡가 그리고 음반 제작자의 허락을 얻어야 합니다.

8. 글짓기, 그리기 대회에 다른 사람 글, 그림 베껴서 내기

   인터넷에서 글이나 그림을 베껴서 대회 작품으로 내는 일은 쉽게 할 수 있는 일이지만, 작품 주인의 마음의 상처와 여러분 양심의 상처는 오래오래 아물지 못할 수 있습니다. 내용 출처: 한국저작권위원회

9. 학교 과제, 인터넷 자료를 그대로 옮겨서 내 것인 양 제출하기

숙제를 하기 위해 다양한 자료를 찾아서 참고할 수는 있습니다. 다만, 다른 사람 자료를 그대로 옮겨서 내가 한 것인 양 제출한다면 그것은 표절에 해당합니다.

10. 문제집, 참고서 등 학습 자료 스캔해서 학교 홈페이지에 올리기

학습 자료에도 모두 저작권이 있답니다. 아무리 열심히 공부하자는 좋은 뜻이라고 해도 함부로 자료를 공유해서는 안 됩니다.

내용 출처: 한국저작권위원회

카카오톡 사용 원칙

- '네티켓'이란 네트워크와 에티켓의 합성어입니다. 인터넷 이용자가 네트워크상에서 지켜야 할 상식적인 예절, 에티켓, 매너 등을 이르는 말입니다.
- 인터넷상에서 눈에 보이지 않는다고 해서 악성 댓글, 허위 정보, 음란물 유포, 개인 정보 유출, 사이버 폭력 등을 하지 않도록 주의해야 합니다.

① 다른 사람의 명예를 손상하지 않기

② 음란물을 게재하거나 음란사이트 링크하지 않기

③ 다른 사람의 저작권 침해하지 않기

④ 공공질서를 어지럽히는 내용 유포하지 않기

⑤ 다른 사람의 개인 정보를 수집하거나 공개하지 않기

⑥ 수치심이나 혐오감을 일으키는 표현 올리지 않기

인터넷 에티켓 10계명

① 가상공간에서 만나는 상대방이 나와 같은 사람임을 기억하여야 합니다.

② 실제 생활에서 적용된 것과 같은 기준과 행동을 고수하여야 합니다.

③ 현재 자신이 어떤 곳에 접속해 있는지 알고, 그곳 문화에 어울리게 행동하여야 합니다.

④ 다른 사람의 시간을 존중하여야 합니다.

⑤ 온라인에서도 교양 있는 사람으로 보이도록 해야 합니다.

⑥ 전문적인 지식을 공유하여야 합니다.

⑦ 논쟁은 절제된 감정 아래 행하여야 합니다.

⑧ 다른 사람의 사생활을 존중하여야 합니다.

⑨ 당신의 권력을 남용하지 말아야 합니다.

⑩ 다른 사람의 실수를 용서하여야 합니다.

＊ 출처: 미국 플로리다대학교 버지니아 셰어 교수의 네티켓 핵심 원칙